ENCHIRIDION INDULGENTIARUM

NORMAE ET CONCESSIONES

LIBRERIA EDITRICE VATICANA

MCMLXXXVI

Prima editio, mense iunio 1968.
Secunda editio, mense octobri 1968.
Tertia editio, mense maio 1986.

PRAEFATIO
AD TERTIAM EDITIONEM

Ex quo Enchiridion Indulgentiarum *Paenitentiaria Apostolica in lucem edidit, die nempe 29 iunii, in sollemnitate Sanctorum Petri et Pauli, anni 1968, quoad usum Verbi Dei, unde tota nimirum vita Ecclesiae promanat, quoad ritus sacros persolvendos et quoad regimen disciplinae, magni momenti mutationes et incrementa facta sunt.*

Qua de re, ad Indulgentias *quod attinet, memoranda veniunt Nova Librorum Sacrorum Vulgata editio, liturgicarum celebrationum novi ordines et textus, demum novi Codicis Iuris Canonici pro Ecclesia Latina promulgatio.*

Re enim vera, quamvis haec omnia nihil immutaverint circa disciplinam Indulgentiarum, immo vero citatus Codex ad earum usum et concessionem quod attinet expresse confirmaverit praescripta in peculiaribus legibus iam latis contenta, tamen in normis rite exprimendis et in exhibendo elencho operum et precum In-

dulgentia ditatorum, praedictarum nova-
rum editionum et normarum ratio haben-
da est, sive loci Sacrae Scripturae sunt
adducendi, sive liturgicarum actionum vi-
gentes regulae sunt indicandae, sive de-
mum canones suis numeris sunt referendi.

Itaque necessarium visum est novam
editionem apparare iuxta criteria hic re-
censita confectam, ut harmonice Enchiridion Indulgentiarum *cohaereat cum aliis*
authenticis textibus liturgica et canonica
vi ornatis; qua sese praebente occasione,
nonnullae etiam in Enchiridio *adduntur*
novae Indulgentiarum concessiones, a
Summo Pontifice Ioanne Paulo II factae,
Qui hanc ipsam editionem in Audientia
diei 13 decembris 1985 approbavit.

Adnexus vero textus Apostolicae Con-
stitutionis Indulgentiarum doctrina, *cum*
pro historica veritate exhibendus sit quem-
admodum in originali documento prostat,
nullam mutationem accipit. Similiter re-
fertur in hac editione ante « Praenotanda »
textus Decreti Paenitentiariae Apostolicae
prout die 29 iunii 1968 prodiit, ut clare
appareant criteria quae vim canonicam
Enchiridii *determinant.*

Paenitentiaria Apostolica publici iuris
en tertia vice faciens Enchiridion Indul-

gentiarum, *exoptat ut valde inde fideles iuventur ad sanctificationem adipiscendam sive per ipsum Indulgentiarum pium usum, sive per fervorem caritatis et bona opera, quae Indulgentiarum sunt, ut ita dicatur, radix et intima vita.*

Datum Romae, e Paenitentiaria Apostolica, die 18 maii 1986, in sollemnitate Pentecostes.

ALOISIUS Card. DADAGLIO
Paenitentiarius Maior

Aloisius De Magistris
Regens

Decretum

SACRA PAENITENTIARIA
APOSTOLICA

———

DECRETUM

In Constitutione Apostolica *Indulgentiarum doctrina* diei 1 ianuarii 1967 legitur: « Ut autem ipse indulgentiarum usus ad maiorem dignitatem et aestimationem provehatur, aliquid innovandum sancta Mater Ecclesia opportunum duxit in earum disciplina, novasque normas tradendas decrevit ».

Et in Norma 13 eiusdem Constitutionis statuitur: « Enchiridion indulgentiarum recognoscetur eo consilio ut tantum praecipuae preces et praecipua opera pietatis, caritatis et paenitentiae indulgentiis ditentur ».

Obsecuta Summi Pontificis voluntati, quam sive per Constitutionem Apostolicam *Indulgentiarum doctrina* sive per novas dispositiones Ipse significaverat, haec Sacra Paenitentiaria novum *Enchiridion indulgentiarum* sedulo comparandum curavit.

Summus autem Pontifex Paulus VI,

infrascripto Cardinali Paenitentiario Maiore in Audientia diei 14 iunii vertentis anni referente, novum *Enchridion indulgentiarum*, typis Vaticanis impressum, die 15 eiusdem mensis adprobavit et ut authenticum haberi mandavit, abrogatis generalibus indulgentiarum concessionibus in idem *Enchiridion* non relatis et abrogatis insuper ordinationibus Codicis Iuris Canonici, Litterarum Apostolicarum etiam motu proprio datarum et Decretorum Sanctae Sedis de indulgentiis, quae infra in Normis de indulgentiis non recensentur.

Contrariis quibuslibet etiam speciali mentione dignis minime obstantibus.

Datum Romae, ex eadem Sacra Paenitentiaria Apostolica, die 29 iunii 1968, in festo sanctorum Apostolorum Petri et Pauli.

✠ IOSEPHUS Card. FERRETTO
Episcopus tit. ecclesiae suburb.
Sabinensis et Mandelensis

Paenitentiarius Maior

Ioannes Sessolo
Regens

Praenotanda

PRAENOTANDA

1. Cum primum hoc Enchiridion editum est ad effectum deducta est Norma 13 Constitutionis Apostolicae : « Enchiridion indulgentiarum recognoscetur eo consilio ut tantum praecipuae preces et praecipua opera pietatis, caritatis et paenitentiae indulgentiis ditentur ».

2. Ad hoc quod attinet, praecipuae preces et praecipua opera putantur eae preces eaque opera, quae, ratione habita traditionis ac mutatae temporum condicionis, peculiarem in modum apta esse videntur, quibus fideles non solum adiuventur ad satisfaciendum de poenis pro peccatis suis debitis, sed etiam ac quidem potissimum impellantur ad maiorem caritatis fervorem. Hoc principio ratio rem novo ordine componendi est innisa.[1]

3. Secundum traditionem participatio Sacrificii Missae et Sacramentorum, propter praecelsam eorum efficacitatem quoad « sanctificationem et purificationem »,[2] indulgentiis non ditatur.

Cum vero ob singulares eventus (veluti primam sacram Communionem, primam Missam a sacerdote novensili litandam, Missam in exitu Conventus Eucharistici celebrandam) indulgen-

[1] Cf. Alloc. Pauli Pp. VI ad Cardinalium Collegium et Curiam Romanam habita die 23 dec. 1966: *A.A.S.*, 59 (1967) p. 57.
[2] Cf. Const. Apost. *Indulgentiarum doctrina*, 1 ian. 1967, n. 11.

tia conceditur, haec non participationi Missae vel Sacramentorum adicitur, sed extraordinariis adiunctis ad eiusmodi participationem accedentibus. Itaque ope indulgentiae promovetur et quasi praemio afficitur se devovendi studium, quod huiusmodi celebritatum est proprium, bonum, quod aliis praebetur, exemplum, honor, qui augustae Eucharistiae et Sacerdotio adhibetur.

Attamen indulgentia addi potest, secundum traditionem, variis operibus pietatis privatae et publicae; praeterea eadem locupletari possunt opera caritatis et paenitentiae, quibus maius momentum nostris temporibus tribui oportet. Omnia autem haec opera indulgentiis praedita, ut alioquin quodvis aliud opus bonum et quivis cruciatus patienter toleratus, a Missa et Sacramentis nullatenus seiunguntur, utpote quae sint fontes praecipui sanctificationis et purificationis; [3] siquidem opera bona et cruciatus fiunt oblatio ipsorum fidelium, quae oblationi Christi in Eucharistico Sacrificio adiungitur; [4] siquidem Missa et Sacramenta fideles adducunt ad officia sibi imposita exsequenda adeo ut « vivendo teneant quod fide perceperunt »,[5] et vicissim officia diligenter impleta animos melius in dies disponunt ad Missam et Sacramenta fructuose participanda.[6]

[3] Cf. Const. Apost. *Indulgentiarum doctrina*, n. 11.
[4] Cf. CONCILIUM VATICANUM II, Const. dogm. de Ecclesia *Lumen gentium*, n. 34.
[5] *Missale Romanum*, Oratio feriae II infra octavam Paschae.
[6] Cf. CONCILIUM VATICANUM II, Const. de Sacra Liturgia *Sacrosanctum Concilium*, nn. 9-13.

4. Pro mutata temporum condicione, plus tribuitur actioni christifidelis (*operi operantis*), qua de causa longo indice non recensentur opera pietatis (*opus operatum*) quasi a vita quotidiana christifidelis seiuncta, sed modicus tantum numerus concessionum exhibetur,[7] quibus christifidelis efficacius permoveatur ad vitam suam utiliorem sanctioremque reddendam, quatenus nempe aufertur « discidium illud inter fidem quam profitentur et vitam quotidianam multorum ... conatus humanos, domesticos, professionales, scientificos vel technicos in unam synthesim vitalem cum bonis religiosis colligendo, sub quorum altissima ordinatione omnia in Dei gloriam coordinantur ».[8]

Cura fuit potius locum amplum dare vitae christianae animosque ad spiritum orationis et paenitentiae et ad exercitationem virtutum theologalium conformare quam iterandas formulas et actus proponere.

5. In Enchiridio, antequam variae concessiones recenseantur, referuntur Normae, sive ex Constitutione Apostolica, sive ex Codice Iuris Canonici desumptae.

Etenim utile visum est, etiam ad praecavendas dubitationes de hac re fortasse orituras, una comprehensione et ordinatim exponere omnes dispositiones, quae circa indulgentias in praesenti vigent.

---

[7] Cf. infra praesertim nn. I-III, pp. 33-40.
[8] Cf. CONCILIUM VATICANUM II, Const. past. de Ecclesia in mundo huius temporis *Gaudium et spes,* n. 43.

6. In Enchiridio tres concessiones magis generales primo recensentur, quae quasi praeluceant vitae christianae cotidie ducendae.

Unicuique ex his tribus concessionibus generalioribus additae sunt, in fidelium utilitatem et eruditionem, nonnullae annotationes, quibus patefit singulas concessiones cum spiritu Evangelii et renovationis a Concilio Oecumenico Vaticano II propositae congruere.

7. Subsequitur elenchus concessionum ad singula religionis opera spectantium. Quae quidem paucae sunt, quia nonnulla opera concessionibus generalioribus comprehenduntur et, ad preces quod attinet, solum quaedam indolem universalem prae se ferentes, expresse memorandae visae sunt. De ceteris precibus, quae in variis Ritibus et locis solent adhiberi, competens ecclesiastica auctoritas statuere potest.

8. Enchiridio praeterea adiuncta est Appendix, in qua elenchus invocationum continetur et textus praebetur Constitutionis Apostolicae *Indulgentiarum doctrina*.

Normae de indulgentiis

NORMAE DE INDULGENTIIS

1. Indulgentia est remissio coram Deo poenae temporalis pro peccatis, ad culpam quod attinet iam deletis, quam christifidelis, apte dispositus et certis ac definitis condicionibus, consequitur ope Ecclesiae quae, ut ministra redemptionis, thesaurum satisfactionum Christi et Sanctorum auctoritative dispensat et applicat.

2. Indulgentia est partialis vel plenaria prout a poena temporali pro peccatis debita liberat ex parte aut ex toto.

3. Nemo indulgentias acquirens potest eas aliis vitam degentibus applicare.

4. Indulgentiae sive partiales sive plenariae possunt semper defunctis applicari per modum suffragii.

5. Christifideli qui, corde saltem contritus, peragit opus indulgentia partiali ditatum, tribuitur ope Ecclesiae poenae temporalis remissio eiusdem valoris, ac ipse sua actione iam percipit.

---

[1] N. 1 *Indulg. doctr.* (= Norma 1 Const. Apost. *Indulgentiarum doctrina*: vide infra, p. 113).
[2] N. 2 *Indulg. doctr.*
[3] Cf. can. 994 *C.I.C.*
[4] N. 3 *Indulg. doctr.*
[5] N. 5 *Indulg. doctr.*

6. Divisio indulgentiarum in personales, reales et locales, non adhibetur, quo clarius constet indulgentiis ditari christifidelium actiones, quamvis cum re vel loco interdum coniungantur.

7. Praeter supremam Ecclesiae auctoritatem ii tantum possunt indulgentias elargiri, quibus haec potestas iure agnoscitur aut a Romano Pontifice conceditur.

8. In Romana Curia, Sacrae dumtaxat Paenitentiariae demandantur ea quae spectant ad concessionem et usum indulgentiarum; salvo tamen iure Congregationis pro Doctrina Fidei videndi ea quae doctrinam dogmaticam circa easdem indulgentias attingunt.

9. Auctoritas quaelibet infra Romanum Pontificem nequit facultatem concedendi indulgentias aliis committere, nisi id ei a Sede Apostolica expresse fuerit indultum.

10. Episcopi dioecesani aliique in iure ipsis aequiparati, ab inito pastorali munere, ius habent:

1°. Concedendi indulgentiam partialem christifidelibus suae curae commissis;

2°. Benedictionem Papalem cum indulgentia plenaria, secundum praescriptam formulam, impertiendi in sua quisque dioecesi ter in anno, post expletam peculiari cum liturgico decore ce-

---

[6] N. 12 *Indulg. doctr.*

[7] Cf. can. 995, § 1, *C.I.C.*

[8] Cf. Const. Apost. *Regimini Ecclesiae Universae,* 15 aug. 1967, n. 113: *A.A.S.,* 59 (1967) p. 923.

[9] Cf. can. 995, § 2, *C.I.C.*

lebrationem Missae — etiamsi iidem sacra non peregerint, sed iis tantum adstiterint — in sollemnitatibus vel festis ab ipsis designandis.

11. Metropolitae possunt indulgentiam partialem in dioecesibus suffraganeis sicut in propria dioecesi concedere.

12. Patriarchae possunt indulgentiam partialem concedere in singulis locis sui patriarchatus, etsi exemptis, in ecclesiis sui ritus extra terminos patriarchatus, et ubique pro fidelibus sui ritus. Idem concedere possunt Archiepiscopi Maiores.

13. Cardinalis facultate gaudet concedendi ubique indulgentiam partialem a praesentibus solummodo, singulis vicibus, acquirendam.

14. § 1. Indulgentiarum libri omnes, libelli, folia, etc., in quibus earum concessiones continentur, ne edantur sine licentia Ordinarii vel Hierarchae loci.

§ 2. Requiritur vero expressa licentia Sedis Apostolicae ut typis edere liceat, quovis idiomate, collectionem authenticam precum piorumque operum quibus Sedes Apostolica indulgentias annexuit.

15. Qui a Summo Pontifice impetraverint indulgentiarum concessiones pro omnibus fidelibus, obligatione tenentur, sub poena nullitatis gratiae obtentae, authentica exemplaria earumdem concessionum ad Sacram Paenitentiariam deferendi.

[14] Cf. can. 826, § 3, *C.I.C.*

16. Indulgentia, alicui festo adnexa, trans-
lata intellegitur in eum diem quo huiusmodi fe-
stum vel eiusdem externa sollemnitas legitime
transfertur.

17. Ad lucrandam indulgentiam alicui diei af-
fixam, si visitatio ecclesiae vel oratorii requiratur, haec fieri potest a meridie diei praecedentis
usque ad mediam noctem quae statutum diem
claudit.

18. Christifidelis devote utens pietatis obiecto
(crucifixo vel cruce, corona, scapulari, numismate), a quovis sacerdote vel diacono rite benedicto, consequitur indulgentiam partialem. Si
autem eadem obiecta a Summo Pontifice aut a
quolibet Episcopo fuerint benedicta, christifidelis eisdem pia utens mente assequi potest etiam
indulgentiam plenariam in sollemnitate sanctorum Apostolorum Petri et Pauli, addita tamen,
qualibet legitima formula, fidei professione.

19. § 1. Indulgentia adnexa visitationi ecclesiae non cessat, si ecclesia funditus evertatur
rursusque intra quinquaginta annos aedificetur
in eodem vel fere eodem loco et sub eodem titulo.

§ 2. Indulgentia adnexa usui *pietatis obiec-
ti* tunc tantum cessat, cum idem obiectum prorsus desinat esse vel vendatur.

20. § 1. Ut quis capax sit lucrandi indulgentias debet esse baptizatus, non excommuni-

---

[18] N. 17 *Indulg. doctr.*
[20] Cf. can. 996 *C.I.C.*

catus, in statu gratiae saltem in fine operum praescriptorum.

§ 2. Ut vero subiectum capax eas lucretur, habere debet intentionem saltem generalem eas acquirendi et opera iniuncta implere statuto tempore ac debito modo, secundum concessionis tenorem.

21. § 1. Indulgentia plenaria semel tantum in die acquiri potest.

§ 2. Christifidelis tamen consequi poterit indulgentiam plenariam *in articulo mortis,* etiamsi eodem die indulgentiam plenariam iam acquisiverit.

§ 3. Partialis vero indulgentia pluries in die acquiri potest, nisi aliud expresse statuatur.

22. Opus praescriptum ad acquirendam indulgentiam plenariam ecclesiae vel oratorio adiunctam est eiusdem pia visitatio, in qua recitantur oratio Dominica et fidei symbolum (*Pater* et *Credo*), nisi aliter in peculiari casu statuatur.

23. § 1. Ad indulgentiam plenariam assequendam, praeter exclusionem omnis affectus erga quodcumque peccatum etiam veniale, requiruntur exsecutio operis indulgentia ditati et adimpletio trium conditionum, quae sunt : sacramentalis confessio, communio eucharistica et oratio ad mentem Summi Pontificis.

---

[21] N. 6 *Indulg. doctr.*; cf. etiam N. 18 *Indulg. doctr.*
[22] N. 16 *Indulg. doctr.*
[23] Cf. Nn. 7, 8, 9, 10 *Indulg. doctr.*

§ 2. Unica sacramentali confessione plures indulgentiae plenariae acquiri possunt; unica vero communione eucharistica et unica oratione ad mentem Summi Pontificis una tantum indulgentia plenaria acquiritur.

§ 3. Tres condiciones perfici possunt pluribus diebus ante vel post praescripti operis exsecutionem; convenit tamen ut communio et oratio ad mentem Summi Pontificis peragantur ipso die quo instituitur opus.

§ 4. Si plena dispositio desit vel si opus praescriptum et tres praedictae condiciones, salvis praescriptis N. 27 et N. 28 pro « impeditis », non impleantur, indulgentia erit tantum partialis.

§ 5. Condicio precandi ad mentem Summi Pontificis impletur, si recitantur ad Eiusdem mentem semel *Pater* et *Ave*; data tamen facultate singulis fidelibus quamlibet aliam orationem recitandi iuxta uniuscuiusque pietatem et devotionem.

24. Opere, cui praestando aliquis lege aut praecepto obligatur, nequit indulgentia lucrifieri, nisi in eiusdem concessione aliud expresse dicatur; qui tamen praestat opus sibi in sacramentalem paenitentiam iniunctum et indulgentiis forte ditatum, potest simul et paenitentiae satisfacere et indulgentias lucrari.

25. Indulgentia alicui orationi adnexa acquiri potest quocumque idiomate oratio recitetur, dummodo de fidelitate versionis constet ex decla-

ratione vel Sacrae Paenitentiariae vel unius ex Ordinariis vel Hierarchis locorum ubi vulgaris est lingua in quam versa est oratio.

26. Ad indulgentiarum acquisitionem satis est orationem alternis cum socio recitare, aut mente eam prosequi, dum ab alio recitatur.

27. Confessarii commutare possunt sive opus praescriptum sive condiciones pro iis qui, legitimo detenti impedimento, eadem praestare nequeant.

28. Ordinarii vel Hierarchae locorum possunt insuper concedere fidelibus, in quos ad normam iuris exercent auctoritatem, si in locis versentur ubi nullo modo vel saltem admodum difficile ad confessionem vel communionem accedere possint, ut ipsi queant indulgentiam plenariam consequi absque actuali confessione et communione, dummodo sint corde contriti et ad praedicta sacramenta, cum primum poterunt, accedere proponant.

29. Sive surdi sive muti lucrari possunt indulgentias adnexas publicis precibus, si una cum ceteris fidelibus in eodem loco orantibus mentem ac pios sensus ad Deum attollant; et si agatur de privatis orationibus, satis est ut eas mente recolant signisve patefaciant vel tantummodo oculis percurrant.

[28] Cf. N. 11 *Indulg. doctr.*

Tres concessiones generaliores

TRES CONCESSIONES GENERALIORES

Prooemium

1. Proponuntur imprimis tres concessiones indulgentiarum, quibus christifidelis commonetur ut actiones, quibus vita quotidiana veluti intexitur, christiano spiritu informet,[1] et in suo vitae ordine ad perfectionem caritatis tendat.[2]

2. Prima et secunda concessio aequivalent pluribus concessionibus quae olim distincto modo fiebant; tertia vero concessio prorsus convenit nostris temporibus in quibus — praeter legem, ceterum sat mitem, abstinentiae a carnibus et ieiunii — omnino expedit ut fideles ad sese paenitentia exercendos excitentur.[3]

3. Tres concessiones sunt revera generaliores et earum singulae plura eiusdem generis opera complectuntur. Tamen non omnia huiusmodi opera indulgentiis ditantur, sed ea tantum quae peculiari modo et animo peraguntur.

Consideretur, exempli gratia, prima concessio, cuius haec sunt verba : « Conceditur indul-

---

[1] Cf. *1 Cor*. 10, 31 et *Col*. 3, 17; CONCILIUM VATICANUM II, Decr. de apostolatu laicorum *Apostolicam actuositatem*, nn. 2, 3, 4 et 13.

[2] Cf. CONCILIUM VATICANUM II, Const. dogm. de Ecclesia *Lumen gentium*, n. 39 et *ibid.*, nn. 40-42.

[3] Cf. Const. Apost. *Paenitemini*, 17 febr. 1966, III, c: *A.A.S.*, 58 (1966) pp. 182-183.

gentia partialis christifideli qui, in officiis suis gerendis et vitae aerumnis tolerandis, animum ad Deum humili fiducia erigit, addita — etiam tantum mente — pia aliqua invocatione ».

Hac concessione indulgentia ditantur ii tantum actus quibus christifidelis, dum officia sua peragit et vitae aerumnas sustinet, mentem ad Deum uti proponitur elevat.

Hi peculiares actus, ob humanam infirmitatem, non sunt ita frequentes.

Quod si quis tam diligens et fervens sit ut ad plura diei momenta huiusmodi actus extendat, tunc ipse iuste meretur — praeter copiosum gratiae incrementum — ampliorem poenae remissionem et, pro sua caritate, animabus in purgatorio detentis abundantius subvenire potest.

Idem fere dicendum est de duabus aliis concessionibus.

4. Quia tres concessiones, ut patet, cum Evangelio et cum doctrina Ecclesiae, a Concilio Vaticano II luculenter proposita, apprime congruunt, in fidelium commodum loci de Sacra Scriptura et de Actis eiusdem Concilii deprompti ad singulas concessiones infra apponuntur.

CONCESSIONES

I

Conceditur indulgentia partialis christifideli qui, in officiis suis gerendis et vitae aerumnis tolerandis, animum ad Deum humili fiducia erigit, addita — etiam tantum mente — pia aliqua invocatione.

Hac prima concessione christifideles ad exsequendum mandatum Christi : « Oportet semper orare et non deficere » [4] quasi manu ducuntur et simul monentur sua cuiusque officia ita peragere ut unionem cum Christo servent et augeant.

Mt. 7, 7-8 : Petite et dabitur vobis ; quaerite et invenietis ; pulsate et aperietur vobis. Omnis enim qui petit, accipit et qui quaerit, invenit et pulsanti aperietur.

Mt. 26, 41 : Vigilate et orate, ut non intretis in tentationem.

Lc. 21, 34-36 : Attendite autem vobis ne forte graventur corda vestra in ... curis huius vitae ... Vigilate itaque omni tempore orantes.

Act. 2, 42 : Erant autem perseverantes in doctrina apostolorum et communicatione et in fractione panis et orationibus.

---

[4] *Lc.* 18, 1.

Rom. 12, 12: Spe gaudentes, in tribulatione pa-
tientes, orationi instantes.

1 Cor. 10, 31: Sive ergo manducatis sive bibitis
sive aliud quid facitis, omnia in gloriam Dei facite.

Eph. 6, 18: Per omnem orationem et obsecra-
tionem orantes omni tempore in Spiritu, et in ipso
vigilantes in omni instantia et obsecratione pro
omnibus Sanctis.

Col. 3, 17: Et omne, quodcumque facitis in
verbo aut in opere, omnia in nomine Domini Iesu,
gratias agentes Deo Patri per ipsum.

Col. 4, 2: Orationi instate, vigilantes in ea in
gratiarum actione.

1 Thes. 5, 17-18: Sine intermissione orate, in
omnibus gratias agite.

Concilium Vaticanum II, Const. dogm. de Ecclesia *Lumen gentium,* n. 41: Omnes igitur christifideles in vitae suae conditionibus, officiis, vel cir-
cumstantiis, et per illa omnia, in dies magis sancti-
ficabuntur, si cuncta e manu Patris caelestis cum
fide suscipiunt et voluntati divinae cooperantur, caritatem qua Deus dilexit mundum in ipso temporali
servitio omnibus manifestando.

Concilium Vaticanum II, Decr. De apostolatu
laicorum *Apostolicam actuositatem,* n. 4: Haec vita
intimae unionis cum Christo in Ecclesia alitur subsidiis spiritualibus, quae ... sunt ... ita a laicis
adhibenda ut hi, dum ipsa mundi officia in ordinariis
vitae condicionibus recte adimplent, unionem cum
Christo a vita sua non separent, sed suum opus
iuxta voluntatem Dei exercentes in ipsa percre-
scant ... Neque curae familiares neque negotia saecularia extranea debent esse a spirituali vitae ratione, iuxta illud Apostoli:. « Omne quodcumque fa-

citis in verbo aut in opere, omnia in nomine Domini
Iesu Christi, gratias agentes Deo et Patri per
ipsum ».[5]

Concilium Vaticanum II, Const. past. de Ecclesia in mundo huius temporis *Gaudium et spes,*
n. 43: Discidium ... inter fidem quam profitentur
et vitam quotidianam multorum, inter graviores
nostri temporis errores recensendum est ... Ne igitur
perperam inter se opponantur activitates professionales et sociales ex una parte, vita religiosa ex altera ... Gaudeant potius christiani, exemplum Christi secuti, qui fabrilem artem exercuit, se omnes
suas navitates terrestres exercere posse, conatus
humanos, domesticos, professionales, scientificos vel
technicos in unam synthesim vitalem cum bonis religiosis colligendo, sub quorum altissima ordinatione
omnia in Dei gloriam coordinantur.

II

**Conceditur indulgentia partialis christifideli
qui, spiritu fidei ductus, in servitium fratrum
necessitate laborantium, se ipsum vel bona sua
misericordi animo impendit.**

Christifidelis hac indulgentiae concessione al-
licitur ut, exemplum et mandatum Christi Iesu
secutus,[6] opera caritatis seu misericordiae fre-
quentius peragat.

Tamen non omnia caritatis opera indulgentia
ditantur, sed tantum quae fiunt « in servitium

---

[5] *Col.* 3, 17.
[6] Cf. *Io.* 13, 15 et *Act.* 10, 38.

35

fratrum necessitate laborantium », uti qui cibo
vel veste pro corpore aut institutione vel solacio
pro animo indigent.

Mt. 25, 35-36 et 40 : Esurivi enim et dedistis
mihi manducare, sitivi et dedistis mihi bibere,
hospes eram et collegistis me, nudus et operuistis
me, infirmus et visitastis me, in carcere eram
et venistis ad me ... Amen dico vobis : Quamdiu
fecistis uni de his fratribus meis minimis, mihi
fecistis.[7]

Io. 13, 34-35 : Mandatum novum do vobis, ut diligatis invicem; sicut dilexi vos ut et vos diligatis
invicem. In hoc cognoscent omnes quia mei discipuli estis, si dilectionem habueritis ad invicem.

Rom. 12, 8, 10-11 et 13 : Qui tribuit in simpli-
citate ... qui miseretur in hilaritate ... caritate fraternitatis invicem diligentes, honore invicem prae-
venientes, sollicitudine non pigri, spiritu ferventes,
Domino servientes ... necessitatibus sanctorum com-
municantes, hospitalitatem sectantes.

1 Cor. 13, 3 : Et si distribuero in cibos omnes
facultates meas ... caritatem autem non habuero,
nihil mihi prodest.

Gal. 6, 10 : Dum tempus habemus, operemur bonum ad omnes, maxime autem ad domesticos fidei.

Eph. 5, 2 : Ambulate in dilectione, sicut et Christus dilexit nos.

1 Thes. 4, 9 : A Deo edocti estis ut diligatis invicem.

Heb. 13, 1 : Caritas fraternitatis maneat.

Iac. 1, 27 : Religio munda et immaculata apud
Deum et Patrem haec est : visitare pupillos et viduas

---

[7] Cf. etiam *Tob.* 4, 7-8 et *Is.* 58, 7.

in tribulatione eorum, immaculatum se custodire ab hoc saeculo.[8]

1 Pe. 1, 22 : Animas vestras castificantes in oboedientia veritatis ad fraternitatis amorem non fictum, ex corde invicem diligite attentius.

1 Pe. 3, 8-9 : In fine autem omnes unanimes, compatientes, fraternitatis amatores, misericordes, humiles, non reddentes malum pro malo vel maledictum pro maledicto, sed e contrario benedicentes, quia in hoc vocati estis, ut benedictionem hereditate accipiatis.

2 Pe. 1, 5. 7 : Curam omnem subinferentes ministrate ... in pietate ... amorem fraternitatis, in amore autem fraternitatis caritatem.

1 Io. 3, 17-18 : Qui habuerit substantiam mundi et viderit fratrem suum necesse habere et clauserit viscera sua ab eo, quomodo caritas Dei manet in eo? Filioli, non diligamus verbo nec lingua, sed in opere et veritate.

Concilium Vaticanum II, Decr. de apostolatu laicorum *Apostolicam actuositatem,* n. 8: Ubicumque versantur qui cibo potuque, vestitu, domo, medicinis, opere, instructione, facultatibus ad vitam vere humanam ducendam necessariis carent, aerumnis vel infirma valetudine cruciantur, exilium vel carcerem patiuntur, ibi eos christiana caritas debet quaerere et invenire, impensa cura solari et praestitis auxiliis sublevare ... Quo huiusmodi caritatis exercitium omni exceptione maius sit et tale appareat in proximo consideretur imago Dei ad quam creatus est, et Christus Dominus cui re vera offertur quidquid indigenti donatur.

[8] Cf. *Iac.* 2, 15-16.

Ibid., n. 31 *c.* : Cum caritatis et misericordiae opera praeclarissimum testimonium christianae vitae offerant, formatio apostolica ad haec quoque exercenda adducere debet, ut discant christifideles ab ipsa pueritia fratribus compati eisque indigentibus generoso animo subvenire.

Concilium Vaticanum II, Const. past. de Ecclesia in mundo huius temporis *Gaudium et spes,* concl., n. 93: Christiani, memores verbi Domini « in hoc cognoscent omnes quia discipuli mei estis, si dilectionem habueritis ad invicem »,[9] nihil ardentius optare possunt quam ut hominibus mundi huius temporis semper generosius et efficacius inserviant ... Vult autem Pater ut in omnibus hominibus Christum fratrem agnoscamus et efficaciter diligamus, tam verbo quam opere.

III

Conceditur indulgentia partialis christifideli qui a re licita et sibi grata, in spiritu paenitentiae, sponte abstinet.

Hac tertia concessione christifidelis impellitur ut, suas cupiditates refrenans, discat corpus suum in servitutem redigere et Christo pauperi et patienti se conformare.[10]

Abstinentia vero praestantior erit si coniungatur caritati, iuxta verba S. Leonis M. : « Impendamus virtuti, quod subtrahimus voluptati. Fiat refectio pauperum abstinentia ieiunantis ».[11]

---

[9] *Io.* 13, 35.
[10] Cf. *Mt.* 8, 20 et 16, 24.
[11] *Sermo* 13 (alias: 12) *De ieiunio decimi mensis,* 2: *PL* 54, 172.

38

Lc. 9, 23 : Si quis vult post me venire, abneget seipsum et tollat crucem suam cotidie et sequatur me.[12]

Lc. 13, 5 : Si non paenitentiam egeritis omnes similiter peribitis (cf. *ibid.* v. 3).

Rom. 8, 13 : Si autem Spiritu opera corporis mortificatis, vivetis.

Rom. 8, 17 : Si tamen compatimur, ut et conglorificemur.

1 Cor. 9, 25-27 : Omnis autem qui in agone contendit ab omnibus se abstinet, et illi quidem ut corruptibilem coronam accipiant, nos autem incorruptam. Ego igitur sic curro non quasi in incertum, sic pugno non quasi aerem verberans; sed castigo corpus meum et in servitutem redigo.

2 Cor. 4, 10 : Semper mortificationem Iesu in corpore circumferentes, ut et vita Iesu manifestetur in corpore nostro.

2 Tim. 2, 11-12 : Fidelis sermo : Nam si commortui sumus, et convivemus; si sustinemus, et conregnabimus.

Tit. 2, 12 : Abnegantes ... saecularia desideria sobrie et iuste et pie vivamus in hoc saeculo.

1 Pe. 4, 13 : Sed, quemadmodum communicatis Christi passionibus gaudete, ut et in revelatione gloriae eius gaudeatis exsultantes.

CONCILIUM VATICANUM II, Decr. de institutione sacerdotali *Optatam totius,* n. 9 : Peculiari sollicitudine in sacerdotali oboedientia, in pauperis vitae ratione et in sui abnegandi spiritu ita excolantur, ut etiam ea quae licita sunt ..., prompte abdicare et Christo crucifixo se conformare assuescant.

---

[12] Cf. *Lc.* 14, 27.

Concilium Vaticanum II, Const. dogm. de Ecclesia *Lumen gentium,* n. 10: Fideles vero, vi regalis sui sacerdotii, in oblationem Eucharistiae concurrunt, illudque in sacramentis suscipiendis, in oratione et gratiarum actione, testimonio vitae sanctae, abnegatione et actuosa caritate exercent.

Concilium Vaticanum II, Const. dogm. de Ecclesia *Lumen gentium,* n. 41: In variis vitae generibus et officiis una sanctitas excolitur ab omnibus, qui a Spiritu Dei aguntur, atque voci Patris oboedientes Deumque Patrem in spiritu et veritate adorantes, Christum pauperem, humilem, et crucem baiulantem sequuntur, ut gloriae Eius mereantur esse consortes.

Const. Apost. *Paenitemini,* III, *c.*: Omnes fideles cohortatur Ecclesia ut, praeter incommoda et iacturas, quae cotidianae vitae rationi comitantur, divino paenitentiae praecepto corpus quoque nonnullis castigationis actibus affligendi obtemperent ... Ecclesia cupit significare tres esse modos praecipuos, antiquitus traditos, quibus divino paenitentiae praecepto satisfieri possit: scilicet precationem, ieiunium, opera caritatis, quamvis praesertim abstinentiam a carne et ieiunium tuita sit. Hae paenitentiae agendae rationes omnibus aetatibus fuerunt communes; nostris tamen temporibus peculiares afferuntur causae ob quas, pro variis locorum adiunctis, certus quidam paenitentiae modus prae ceteris urgeatur. Itaque apud gentes, quae maiore oeconomicorum bonorum copia fruuntur, urgeatur testimonium abnegationis, ne christifideles ad hoc saeculum conformentur, simulque urgeatur testimonium caritatis erga fratres, etiam dissitas regiones inhabitantes, qui paupertate et fame vexentur.[13]

[13] *A.A.S.,* 58 (1966) pp. 182-183.

Aliae concessiones

ALIAE CONCESSIONES

Prooemium

1. Tribus concessionibus generalioribus, de quibus supra ad nn. I-III, adduntur paucae aliae concessiones, quae, attentis tum praeteriti temporis traditionibus tum nostrae aetatis necessitatibus, peculiarem significationem praeseferunt.

Hae omnes concessiones invicem se complent et, dum indulgentiae dono christifideles alliciunt ad peragenda pietatis, caritatis et paenitentiae opera, eosdem adducunt ut artius Christo capiti et Ecclesiae corpori per caritatem coniungantur.[1]

2. Referuntur quaedam preces vel divina inspiratione vel antiquitate venerandae et universalioris usus, ex. gr. *Credo* (n. 16), *De profundis* (n. 19), *Magnificat* (n. 30), *Sub tuum praesidium* (n. 57), *Salve, Regina* (n. 51), *Actiones nostras* (n. 1), *Agimus tibi gratias* (n. 7).

Quae preces, si res intimius perspiciatur, iam comprehenduntur in concessione generaliore n. 1, cum a christifideli, animo ad Deum humili fiducia erecto, in suo vitae ordine recitantur. Ita, ex. gr., hac prima concessione continentur orationes « Actiones nostras » et « Agimus tibi gratias », quae « in officiis gerendis » recitantur.

---

[1] Cf. Const. Apost. *Indulgentiarum doctrina,* n. 11.

Placuit tamen eas singulatim referre ut indulgentiis ditatas, tum ad omne dubium tollen-
dum, tum ad earum excellentiam significandam.

3. Singula opera, quae infra recensentur, indulgentia ditantur. Indulgentiae partialis concessio nonnumquam expresse declaratur; saepe
tamen significatur his tantum verbis: *Indulgentia partialis.*

Si quod opus, in peculiaribus rerum adiunctis, indulgentia plenaria ditatur, indulgentiae
plenariae concessio et peculiaria rerum adiuncta, quae opus magis definiunt, singulis vicibus
expresse notantur; cetera vero, quae ad indulgentiae acquisitionem pertinent, brevitatis causa
subaudiuntur.

Etenim ad indulgentiam plenariam assequendam, ut in Norma 23 statuitur, requiruntur operis exsecutio, impletio trium condicionum et
plena animi dispositio, quae omnem affectum
peccaminosum excludat.

4. Si opus, indulgentia plenaria ditatum, apte
dividi potest in partes (ex. gr. *Rosarium ma-
riale* in decades), qui ex rationabili causa inte-
grum opus non perficit, acquirere potest, pro
parte quam peragit, partialem indulgentiam.

5. Speciali mentione dignae sunt concessiones
quae referuntur ad opera, quibus christifidelis,
quodlibet ex ipsis praestans, indulgentiam plenariam singulis anni diebus assequi potest, firma
manente Norma 21, § 1, iuxta quam indulgentia
plenaria semel tantum in die acquiri potest:

44

— adoratio Ss.mi Sacramenti saltem per dimidiam horam (n. 3);

— pia lectio S. Scripturae saltem per dimidiam horam (n. 50);

— pium exercitium Viae Crucis (n. 63);

— recitatio Rosarii marialis in ecclesia aut oratorio, vel in familia, in religiosa Communitate, in pia Consociatione (n. 48).

Concessiones ordine alphabetico, uti dicitur, recensentur.

Ad huiusmodi ordinem statuendum: si de precibus agitur, considerantur prima verba cuiusque precis (ex. gr. Agimus tibi gratias - Angelus Domini); *si de aliis operibus agitur, considerantur prima verba, quibus opus in titulo indicatur (ex gr.* Viae Crucis exercitium - Votorum baptismalium renovatio).

CONCESSIONES

1.

Actiones nostras

Actiones nostras, quaesumus, Domine, aspirando praeveni et adiuvando prosequere: ut cuncta nostra operatio a te semper incipiat et per te coepta finiatur. Per Christum Dominum nostrum. Amen (*Miss. Rom., Feria V post Cineres, Collecta; Lit. Hor., I hebd. feria II, Ad laudes*).

Indulgentia partialis.

2.

Actus virtutum theologalium et contritionis

Conceditur *indulgentia partialis* christifideli qui actus virtutum theologalium et contritionis, quae cum istis coniungitur, quavis legitima formula pie recitet. Singuli actus indulgentia ditantur.

3.

Adoratio Ss.mi Sacramenti

Conceditur *indulgentia partialis* christifideli qui Ss.mum Sacramentum visitet ad adorandum; quod si hoc egerit per dimidiam saltem horam, *indulgentia* erit *plenaria*.

4.

Adoro te devote

Conceditur *indulgentia partialis* christifideli qui rhythmum *Adoro te devote* pie recitet.

5.

Adsumus

Adsumus, Domine Sancte Spiritus, adsumus peccati quidem immanitate detenti, sed in nomine tuo specialiter congregati.

Veni ad nos et esto nobiscum et dignare illabi cordibus nostris.

Doce nos quid agamus, quo gradiamur et ostende quid efficere debeamus, ut, te auxiliante, tibi in omnibus placere valeamus.

Esto solus suggestor et effector iudiciorum nostrorum, qui solus cum Deo Patre et eius Filio nomen possides gloriosum.

Non nos patiaris perturbatores esse iustitiae qui summam diligis aequitatem. Non in sinistrum nos ignorantia trahat, non favor inflectat, non acceptio muneris vel personae corrumpat.

Sed iunge nos tibi efficaciter solius tuae gratiae dono, ut simus in te unum et in nullo deviemus a vero; quatenus in nomine tuo collecti, sic in cunctis teneamus cum moderamine pietatis iustitiam, ut et hic a te in nullo dissentiat sententia nostra et in futurum pro bene gestis consequamur praemia sempiterna. Amen.

Haec oratio, quae recitari solet ante sessionem ad communia negotia pertractanda, indulgentia partiali *ditatur.*

6.

Ad te, beate Ioseph

Ad te, beate Ioseph, in tribulatione nostra confugimus, atque, implorato Sponsae tuae sanctissimae auxilio, patrocinium quoque tuum fidenter exposcimus. Per eam, quaesumus, quae te cum immaculata Virgine Dei Genetrice coniunxit, caritatem, perque paternum, quo Puerum Iesum amplexus es, amorem, supplices deprecamur, ut ad hereditatem, quam Iesus Christus acquisivit Sanguine suo, benignius respicias, ac necessitatibus nostris tua virtute et ope succurras. Tuere, o Custos providentissime divinae Familiae, Iesu Christi sobolem electam; prohibe a nobis, amantissime Pater, omnem errorum ac corruptelarum luem; propitius nobis, sospitator noster fortissime, in hoc cum potestate tenebrarum certamine e caelo adesto; et sicut olim Puerum Iesum e summo eripuisti vitae discrimine, ita nunc Ecclesiam sanctam Dei ab hostilibus insidiis atque ab omni adversitate defende: nosque singulos perpetuo tege patrocinio, ut ad tui exemplar et ope tua suffulti, sancte vivere, pie emori, sempiternamque in caelis beatitudinem assequi possimus. Amen.

Indulgentia partialis.

7.

Agimus tibi gratias

Agimus tibi gratias, omnipotens Deus, pro universis beneficiis tuis: Qui vivis et regnas in saecula saeculorum. Amen.

Indulgentia partialis.

8.

Angele Dei

Angele Dei, qui custos es mei, me tibi commissum pietate superna illumina, custodi, rege et guberna. Amen.

Indulgentia partialis.

9.

Angelus Domini et Regina caeli

a) *Per annum*

℣. Angelus Domini nuntiavit Mariae,
℟. Et concepit de Spiritu Sancto.

Ave, Maria.

℣. Ecce ancilla Domini,
℟. Fiat mihi secundum verbum tuum.

Ave, Maria.

℣. Et Verbum caro factum est,
℟. Et habitavit in nobis.

Ave, Maria.

℣. Ora pro nobis, sancta Dei Genetrix,
℟. Ut digni efficiamur promissionibus Christi.

49

Oremus. – Gratiam tuam, quaesumus Domine, mentibus nostris infunde, ut qui, Angelo nuntiante, Christi Filii tui incarnationem cognovimus, per passionem eius et crucem ad resurrectionis gloriam perducamur. Per Christum Dominum nostrum. Amen (*Miss. Rom., Dom. IV Adv., Collecta*).

b) *Tempore paschali*

Regina caeli, laetare, alleluia :
Quia quem meruisti portare, alleluia,
Resurrexit, sicut dixit, alleluia.
Ora pro nobis Deum, alleluia.

Ⅴ. Gaude et laetare, Virgo Maria, alleluia.
Ɍ. Quia surrexit Dominus vere, alleluia (*cf. Lit. Hor., Ord. temp. pasch. post Compl.*).

Oremus. – Deus, qui per resurrectionem Filii tui Domini nostri Iesu Christi mundum laetificare dignatus es, praesta, quaesumus, ut per eius Genetricem Virginem Mariam perpetuae capiamus gaudia vitae. Per Christum Dominum nostrum. Amen (*Miss. Rom., Commune B. Mariae V. temp. pasch., Collecta*).

Conceditur indulgentia partialis *christifideli qui praedictas preces, pro temporis diversitate, pie recitet.*

Iuxta laudabilem consuetudinem eaedem preces recitari solent primo diluculo, meridiano tempore, sub vesperam.

10.

Anima Christi

Anima Christi, sanctifica me.
Corpus Christi, salva me.
Sanguis Christi, inebria me.
Aqua lateris Christi, lava me.
Passio Christi, conforta me.
O bone Iesu, exaudi me.
Intra tua vulnera absconde me.
Ne permittas me separari a te.
Ab hoste maligno defende me.
In hora mortis meae voca me:
et iube me venire ad te,
ut cum Sanctis tuis laudem te,
in saecula saeculorum. Amen (*Miss. Rom.*,
p. 935).

Indulgentia partialis.

11.

Basilicarum Patriarchalium in Urbe visitatio

Conceditur *indulgentia plenaria* christifideli
qui unam ex quattuor Patriarchalibus Basilicis
in Urbe pie visitet ibique recitet *Pater* et *Credo* :

1) die festo Titularis;

2) quolibet die festo de praecepto; [2]

3) semel in anno, alio die ab ipso christifideli eligendo.

[2] Cf. can. 1246, § 1, *C.I.C.*

12.

Benedictio Papalis

Christifideli, qui Benedictionem impertitam vel a Summo Pontifice Urbi et Orbi vel ab Episcopo fidelibus suae curae commissis iuxta Normam n. 10, § 2, huius Enchiridii, etsi tantum ope radiophonica vel televisifica, pie devoteque accipiat, conceditur *indulgentia plenaria*.

13.

Coemeterii visitatio

Christifideli, qui coemeterium devote visitet et vel mente tantum pro defunctis exoret, conceditur *indulgentia,* animabus in Purgatorio detentis tantummodo applicabilis, quae a die prima usque ad diem octavam novembris erit singulis diebus *plenaria,* ceteris autem anni diebus erit *partialis*.

14.

Coemeterii veterum christianorum seu « catacumbae » visitatio

Christifideli, qui coemeterium veterum christianorum seu « catacumbam » devote visitet, conceditur *indulgentia partialis*.

15.

Communionis spiritalis actus

Communionis spiritalis actus, qualibet pia formula elicitus, *indulgentia partiali* ditatur.

16.

Credo in Deum

Credo in Deum, Patrem omnipotentem, crea-
torem caeli et terrae. Et in Iesum Christum,
Filium eius unicum, Dominum nostrum : qui
conceptus est de Spiritu Sancto, natus ex Maria
Virgine, passus sub Pontio Pilato, crucifixus,
mortuus et sepultus; descendit ad inferos; tertia die resurrexit a mortuis; ascendit ad cae-
los; sedet ad dexteram Dei Patris omnipotentis;
inde venturus est iudicare vivos et mortuos.
Credo in Spiritum Sanctum, sanctam Ecclesiam
catholicam, Sanctorum communionem, remissionem peccatorum, carnis resurrectionem, vitam
aeternam. Amen.

Conceditur indulgentia partialis *christifideli
qui praedictum symbolum Apostolorum vel symbolum Nicaenum-Constantinopolitanum pie recitet.*

17.

Crucis adoratio

Conceditur *indulgentia plenaria* christifideli
qui, feria VI in Passione et Morte Domini, pie
intersit adorationi Crucis in sollemni actione
liturgica.

18.

Defunctorum officium

Conceditur *indulgentia partialis* christifideli
qui devote recitet Laudes vel Vesperas Officii
defunctorum.

19.

De profundis

Christifideli, qui psalmum *De profundis* (Ps. 130) pie recitet, conceditur *indulgentia partialis*.

20.

Doctrina christiana

Christifideli, qui doctrinae christianae tradendae vel discendae det operam, conceditur *indulgentia partialis*.

N. B. — Qui doctrinam christianam, spiritu fidei et caritatis ductus, tradit, assequi potest *indulgentiam partialem* iuxta concessionem generaliorem n. II (vide supra, p. 35).

Per hanc novam concessionem *indulgentia partialis* confirmatur pro docente et extenditur ad discentem.

21.

Domine, Deus omnipotens

Domine, Deus omnipotens, qui ad principium huius diei nos pervenire fecisti, tua nos hodie salva virtute, ut in hac die ad nullum declinemus peccatum, sed semper ad tuam iustitiam faciendam nostra procedant eloquia, dirigantur cogitationes et opera. Per Christum Dominum nostrum. Amen.

Indulgentia partialis.

22.

En ego, o bone et dulcissime Iesu

En ego, o bone et dulcissime Iesu, ante conspectum tuum genibus me provolvo, ac maximo
animi ardore te oro atque obtestor, ut meum in
cor vividos fidei, spei et caritatis sensus, atque
veram peccatorum meorum paenitentiam, eaque
emendandi firmissimam voluntatem velis impri-
mere; dum magno animi affectu et dolore tua
quinque vulnera mecum ipse considero, ac mente
contemplor, illud prae oculis habens, quod iam
in ore ponebat tuo David Propheta de te, o bone
Iesu : « Foderunt manus meas et pedes meos;
dinumeraverunt omnia ossa mea » (*Ps. 22*, 17-18;
Miss. Rom., pp. 935-936).

*Christifideli, qui supra relatam orationem,
coram Iesu Christi Crucifixi imagine post communionem pie recitet, conceditur* indulgentia
plenaria *qualibet feria sexta temporis Quadra-
gesimae;* indulgentia *vero* partialis *ceteris anni
diebus.*

23.

Eucharisticus conventus

Conceditur *indulgentia plenaria* christifideli
qui sollemnem eucharisticum ritum, qui sub exitu
conventus fieri solet, religiose participet.

24.

Exaudi nos

Exaudi nos, Domine sancte, Pater omnipotens, aeterne Deus : et mittere digneris sanctum Angelum tuum de caelis, qui custodiat, foveat, protegat, visitet atque defendat omnes habitantes in hoc habitaculo. Per Christum Dominum nostrum. Amen.

Indulgentia partialis.

25.

Exercitia spiritalia

Conceditur *indulgentia plenaria* christifideli qui exercitiis spiritalibus saltem per tres integros dies vacet.

26.

Iesu dulcissime
(Reparationis actus)

Iesu dulcissime, cuius effusa in homines caritas, tanta oblivione, neglegentia, contemptione, ingratissime rependitur, en nos, ante conspectum tuum provoluti, tam nefariam hominum socordiam iniuriasque, quibus undique amantissimum Cor tuum afficitur, peculiari honore resarcire contendimus.

Attamen, memores tantae nos quoque indignitatis non expertes aliquando fuisse, indeque vehementissimo dolore commoti, tuam in primis misericordiam nobis imploramus, parati, voluntaria expiatione compensare flagitia non modo quae ipsi patravimus, sed etiam illorum, qui, longe a salutis via aberrantes, vel te pastorem ducemque sectari detrectant, in sua infidelitate obstinati, vel, baptismatis promissa conculcantes, suavissimum tuae legis iugum excusserunt.

Quae deploranda crimina, cum universa expiare contendimus, tum nobis singula resarcienda proponimus : vitae cultusque immodestiam atque turpitudines, tot corruptelae pedicas innocentium animis instructas, dies festos violatos, exsecranda in te tuosque Sanctos iactata maledicta atque in tuum Vicarium ordinemque sacerdotalem convicia irrogata, ipsum denique amoris divini Sacramentum vel neglectum vel horrendis sacrilegiis profanatum, publica postremo nationum delicta, quae Ecclesiae a te institutae iuribus magisterioque reluctantur.

Quae utinam crimina sanguine ipsi nostro eluere possemus! Interea ad violatum divinum honorem resarciendum, quam Tu olim Patri in Cruce satisfactionem obtulisti quamque cotidie in altaribus renovare pergis, hanc eamdem nos tibi praestamus, cum Virginis Matris, omnium Sanctorum, piorum quoque fidelium expiationibus coniunctam, ex animo spondentes, cum praeterita nostra aliorumque peccata ac tanti amoris incuriam firma fide, candidis vitae moribus, perfecta legis evangelicae, caritatis potissimum, observantia, quantum in nobis erit, gratia tua favente, nos esse compensaturos, tum iniurias tibi inferendas pro viribus prohibituros, et quam plurimos potuerimus ad tui sequelam convocaturos. Excipias, quaesumus, benignissime Iesu, beata Virgine Maria Reparatrice intercedente, voluntarium huius expiationis obsequium nosque in officio tuique servitio fidissimos ad mortem usque velis, magno illo perseverantiae munere, continere, ut ad illam tandem patriam perveniamus omnes, ubi Tu cum Patre et Spiritu Sancto vivis et regnas in saecula saeculorum. Amen.

Conceditur indulgentia partialis *christifideli qui supra relatum reparationis actum pie recitet. Indulgentia vero erit plenaria si actus publice recitetur in sollemnitate Sacr.mi Cordis Iesu.*

27.

Iesu dulcissime, Redemptor
(Actus dedicationis humani generis Iesu Christo Regi)

Iesu dulcissime, Redemptor humani generis, respice nos ante conspectum tuum humillime provolutos. Tui sumus, tui esse volumus; quo autem tibi coniuncti firmius esse possimus, en hodie sacratissimo Cordi tuo se quisque nostrum sponte dedicat. Te quidem multi novere nunquam; te, spretis mandatis tuis, multi repudiarunt. Miserere utrorumque, benignissime Iesu, atque ad sanctum Cor tuum rape universos. Rex esto, Domine, nec fidelium tantum qui nullo tempore discessere a te, sed etiam prodigorum filiorum qui te reliquerunt: fac ut domum paternam cito repetant, ne miseria et fame pereant. Rex esto eorum, quos aut opinionum error deceptos habet, aut discordia separatos, eosque ad portum veritatis atque ad unitatem fidei revoca, ut brevi fiat unum ovile et unus pastor. Largire, Domine, Ecclesiae tuae securam cum incolumitate libertatem; largire cunctis gentibus tranquillitatem ordinis; perfice, ut ab utroque terrae vertice una resonet vox: Sit laus divino Cordi, per quod nobis parta salus: ipsi gloria et honor in saecula. Amen.

Christifideli, qui actum dedicationis humani generis Iesu Christo Regi supra relatum pie recitet, conceditur indulgentia partialis. Indulgentia *erit autem* plenaria *si idem actus publice recitetur in sollemnitate D. N. Iesu Christi Regis.*

28.

In articulo mortis

Sacerdos, qui christifideli in vitae discrimen adducto sacramenta administrat, eidem benedictionem apostolicam cum adiuncta indulgentia plenaria impertire ne omittat. Quodsi haberi nequit sacerdos, pia Mater Ecclesia eidem christifideli rite disposito benigne indulgentiam plenariam in articulo mortis acquirendam concedit, dummodo ipse durante vita habitualiter aliquas preces fuderit. Ad hanc indulgentiam plenariam acquirendam laudabiliter adhibetur crucifixus vel crux.

Condicio *dummodo ipse habitualiter aliquas preces fuderit* supplet in casu tres suetas condiciones ad indulgentiam plenariam assequendam requisitas.

Eandem indulgentiam plenariam in articulo mortis christifidelis consequi poterit, etiamsi eodem die aliam indulgentiam plenariam iam acquisiverit.

Supra relata concessio deprompta est e Const. Apost. Indulgentiarum doctrina, *Norma 18.*

29.

Litaniae

Indulgentia partiali ditantur singulae Litaniae, a competenti Auctoritate adprobatae, inter quas eminent sequentes : Ss.mi Nominis Iesu, Sacr.mi Cordis Iesu, Pretiosissimi Sanguinis D.N.I.C., B. Mariae V., S. Ioseph, Sanctorum.

30.

Magnificat

Conceditur *indulgentia partialis* christifideli qui pie recitet canticum *Magnificat.*

31.

Maria, Mater gratiae

Maria, Mater gratiae,
Mater misericordiae,
Tu me ab hoste protege
et mortis hora suscipe.

Indulgentia partialis.

32.

Memorare, o piissima Virgo Maria

Memorare, o piissima Virgo Maria, non esse auditum a saeculo, quemquam ad tua recurrentem praesidia, tua implorantem auxilia, tua petentem suffragia esse derelictum. Ego tali animatus confidentia ad te, Virgo Virginum, Mater, curro; ad te venio; coram te gemens peccator assisto. Noli, Mater Verbi, verba mea despicere, sed audi propitia et exaudi. Amen.

Indulgentia partialis.

33.

Miserere

Christifideli qui, spiritu paenitentiae, psalmum *Miserere* (Ps. 51) recitet, conceditur *indulgentia partialis.*

34.

Novendiales preces

Conceditur *indulgentia partialis* christifideli qui novendiali pio exercitio, publice peracto, devote intersit ante sollemnitatem Nativitatis Domini vel Pentecostes vel Immaculatae Conceptionis B.M.V.

35.

Obiectorum pietatis usus

Christifidelis qui *pietatis obiecto* (crucifixo vel cruce, corona, scapulari, numismate), a quo-

vis sacerdote vel diacono rite benedicto,[3] pia utitur mente, consequitur *indulgentiam partialem*.

Si autem *pietatis obiectum* a Summo Pontifice
aut a quolibet Episcopo fuerit benedictum, christifidelis, eodem obiecto pia utens mente, assequi
potest etiam *indulgentiam plenariam* in sollemnitate SS. Apostolorum Petri et Pauli, addita
tamen, qualibet legitima formula, fidei professione.

*Supra relata concessio deprompta est e Const.
Apost.* Indulgentiarum doctrina, *Norma 16.
Cf. etiam supra, Norma 18, p. 24.*

36.

Officia parva

Indulgentia partiali ditantur singula parva
Officia : Passionis D.N.I.C., Sacr.mi Cordis Iesu,
B. Mariae Virg., Immaculatae Conceptionis,
S. Ioseph.

37.

Oratio ad sacerdotales vel religiosas
vocationes impetrandas

Conceditur *indulgentia partialis* christifideli
qui aliquam orationem ab Auctoritate ecclesiastica ad hoc approbatam recitet.

---

[3] Ad pietatis obiecta rite benedicenda sacerdos vel dia-
conus (iuxta disciplinam Ritualis Romani, *De Benedictionibus*) praescriptas formulas liturgicas servet. Hac in re
utile est adnotare sufficere signum crucis, cui expedit ut
addantur verba: « In nomine Patris et Filii et Spiritus
Sancti » (cf. Rit. Rom., *De Benedictionibus,* n. 1165 et
n. 1182).

38.

Oratio mentalis

Christifideli, qui orationi mentali pie vacet, conceditur *indulgentia partialis*.

39.

Oremus pro Pontifice

℣. Oremus pro Pontifice nostro *N*.

℟. Dominus conservet eum, et vivificet eum, et beatum faciat eum in terra, et non tradat eum in animam inimicorum eius.

Indulgentia partialis.

40.

O sacrum convivium

O sacrum convivium, in quo Christus sumitur, recolitur memoria passionis eius, mens impletur gratia et futurae gloriae nobis pignus datur (*Rit. Rom., De Sacr. Comm.*, n. 65, 200).

Indulgentia partialis.

41.

Praedicationis sacrae participatio

Conceditur *indulgentia partialis* christifideli qui sacrae verbi Dei praedicationi attente et devote adsistit.

Conceditur vero *indulgentia plenaria* christi-

fideli qui tempore sacrarum Missionum, auditis
aliquot contionibus, intersit insuper sollemni
earundem Missionum conclusioni.

42.

Prima Communio

Christifidelibus, qui sive primum ipsi ad sacram synaxim accedant, sive aliis accedentibus
pie adsistant, conceditur *indulgentia plenaria.*

43.

Prima Missa neosacerdotum

Conceditur *indulgentia plenaria* sacerdoti,
primam Missam coram populo statuto die cele-
branti, et fidelibus qui devote eidem Missae adsistant.

44.

Pro christianorum unitate oratio

Omnipotens et misericors Deus, qui diversi-
tatem gentium in unum populum per Filium
tuum adunare voluisti, concede propitius ut qui
christiano nomine gloriantur, qualibet divisione
reiecta, unum sint in veritate et caritate, et
omnes homines, verae fidei lumine illustrati, in
unam Ecclesiam fraterna communione conve-
niant. Per Christum Dominum nostrum. Amen.

Indulgentia partialis.

45.

Recollectio menstrua

Conceditur *indulgentia partialis* christifideli qui menstruam recollectionem participet.

46.

Requiem aeternam

Requiem aeternam dona eis, Domine, et lux perpetua luceat eis. Requiescant in pace. Amen (cf. *Rit. Rom., Ordo exsequiarum*).

Indulgentia partialis, animabus in Purgatorio detentis tantummodo applicabilis.

47

Retribuere dignare, Domine

Retribuere dignare, Domine, omnibus nobis bona facientibus propter nomen tuum vitam aeternam. Amen.

Indulgentia partialis.

48.

Rosarii marialis recitatio

Indulgentia plenaria si Rosarii recitatio fit in ecclesia aut oratorio vel in familia, in religiosa Communitate, in pia Consociatione; *partialis* vero in aliis rerum adiunctis.

(Est autem Rosarium certa precandi for-

5

mula, qua quindecim angelicarum salutationum decades, oratione dominica interiecta, distinguimus et ad earum singulas totidem nostrae reparationis mysteria, pia meditatione recolimus).

Tamen usu venit ut vocetur « Rosarium » etiam eiusdem tertia pars.

Quoad indulgentiam plenariam haec statuuntur:

1. Sufficit recitatio tertiae tantum Rosarii partis; sed quinque decades continuo recitari debent.

2. Orationi vocali addenda est pia mysteriorum meditatio.

3. In publica recitatione, mysteria enuntiari debent iuxta probatam loci consuetudinem; in privata vero recitatione, sufficit ut christifidelis orationi vocali adiungat meditationem mysteriorum.

4. Apud Orientales, ubi huius devotionis praxis non habeatur, Patriarchae statuere poterunt alias preces in honorem beatae Mariae V. (ex. gr. apud Byzantinos hymnum « Akathistos » vel officium « Paraclisis »), quae iisdem indulgentiis Rosarii gaudebunt.

49.

Sacerdotalis Ordinationis celebrationes iubilares

Conceditur *indulgentia plenaria* sacerdoti qui in 25°, 50° et 60° anniversario suae Ordinationis sacerdotalis renovat coram Deo propositum fideliter exsequendi suae vocationis officia.

Quod si sacerdoti Missam iubilarem cele-
branti christifideles adsistant, *indulgentiam plenariam* et ipsi acquirere possunt.

50.

Sacrae Scripturae lectio

Conceditur *indulgentia partialis* christifideli
qui Sacram Scripturam cum veneratione divino
eloquio debita et ad modum lectionis spiritalis legat. *Indulgentia* vero erit *plenaria,* si hoc
fecerit per dimidiam saltem horam.

51.

Salve, Regina

Salve, Regina, mater misericordiae; vita, dul-
cedo et spes nostra, salve. Ad te clamamus,
exsules filii Hevae. Ad te suspiramus, gemen-
tes et flentes in hac lacrimarum valle. Eia ergo,
advocata nostra, illos tuos misericordes oculos
ad nos converte. Et Iesum, benedictum fructum ventris tui, nobis post hoc exsilium ostende.
O clemens, o pia, o dulcis Virgo Maria (*Lit.
Hor., Ord. ad Compl.*).

Indulgentia partialis.

52.

Sancta Maria, succurre miseris

Sancta Maria, succurre miseris, iuva pusilla-
nimes, refove flebiles, ora pro populo, interveni

pro clero, intercede pro devoto femineo sexu:
sentiant omnes tuum iuvamen, quicumque cele-
brant tuam sanctam commemorationem.

Indulgentia partialis.

53.

Sancti Apostoli Petre et Paule

Sancti Apostoli Petre et Paule, intercedite
pro nobis.

Protege, Domine, populum tuum; et Apostolorum tuorum Petri et Pauli patrocinio confi-
dentem, perpetua defensione conserva. Per Christum Dominum nostrum. Amen.

Indulgentia partialis.

54.

Sanctorum cultus

Christifideli, qui die liturgicae celebrationis
cuiusque Sancti recitet in eius honorem orationem e Missali desumptam vel aliam a legitima
Auctoritate approbatam, conceditur *indulgentia
partialis.*

55.

Signum crucis

Conceditur *indulgentia partialis* christifideli
qui se devote signet, proferens de more verba:
*In nomine Patris et Filii et Spiritus Sancti.
Amen.*

56.

Stationalium Ecclesiarum visitatio

Christifideli, qui sua quamque die Stationa-
lem Ecclesiam devote visitet, conceditur *indul-*
gentia partialis; quod si insuper sacris functio-
nibus intererit, quae vel matutinis vel vesperti-
nis horis peraguntur, *indulgentia* erit *plenaria*
(cf. *Caer. Epp.*, nn. 260-261).

57.

Sub tuum praesidium

Sub tuum praesidium confugimus, sancta Dei
Genetrix; nostras deprecationes ne despicias in
necessitatibus, sed a periculis cunctis libera nos
semper, Virgo gloriosa et benedicta (*Lit. Hor.*,
Ord. ad Compl.).

Indulgentia partialis.

58.

Synodus dioecesana

Conceditur semel *indulgentia plenaria* christifideli qui, tempore dioecesanae Synodi, ecclesiam in qua ipsa Synodus habetur pie visitet
ibique recitet *Pater* et *Credo*.

59.

Tantum ergo

Tantum ergo sacramentum
veneremur cernui:
et antiquum documentum

novo cedat ritui :
praestet fides supplementum
sensuum defectui.

    Genitori Genitoque
laus et iubilatio,
salus, honor, virtus quoque
sit et benedictio :
procedenti ab utroque
compar sit laudatio. Amen.

℣. Panem de caelo praestitisti eis,
℟. Omne delectamentum in se habentem.

Oremus. – Deus, qui nobis sub sacramento
mirabili Passionis tuae memoriam reliquisti :
tribue, quaesumus, ita nos Corporis et Sanguinis tui sacra mysteria venerari, ut redemptionis tuae fructum in nobis iugiter sentiamus : Qui
vivis et regnas in saecula saeculorum. Amen
(*Rit. Rom., De Sacr. Comm.*, n. 102).

*Christifideli, qui supra relatas strophas pie
recitet, conceditur indulgentia partialis. Indulgentia vero erit plenaria feria V Hebdomadae
Sanctae post Missam in Cena Domini et in actione liturgica sollemnitatis Ss.mi Corporis et
Sanguinis Christi.*

60.

Te Deum

    Christifideli, qui in gratiarum actionem hym-
num *Te Deum* recitet, conceditur *indulgentia partialis. Indulgentia* vero erit *plenaria* si hymnus
publice recitetur postrema anni die.

61.

Veni, Creator

Christifideli, qui hymnum *Veni, Creator* devote recitet, conceditur *indulgentia partialis*. *Indulgentia* autem erit *plenaria* die prima ianuarii et in sollemnitate Pentecostes si hymnus publice recitetur.

62.

Veni, Sancte Spiritus

Veni, Sancte Spiritus, reple tuorum corda fidelium et tui amoris in eis ignem accende.

Indulgentia partialis.

63.

Viae Crucis exercitium

Christifideli, qui pium exercitium *Viae Crucis* peragat, conceditur *indulgentia plenaria*.

Pio *Viae Crucis* exercitio renovatur memoria dolorum, quos divinus Redemptor passus est in itinere a Pilati praetorio, ubi ad mortem damnatus est, usque ad Calvariae montem, ubi pro nostra salute in cruce mortuus est.

Ad indulgentiam plenariam assequendam quod attinet, haec statuuntur :

1. Pium exercitium peragi debet coram *Viae Crucis* stationibus legitime erectis.

2. Ad erigendam vero *Viam Crucis* requiruntur quattuordecim cruces, quibus utiliter

adiungi solent totidem tabulae seu imagines, quae repraesentant stationes Hierosolymitanas.

3. Iuxta communiorem consuetudinem pium exercitium constat quattuordecim piis lectionibus, quibus adduntur aliquae preces vocales. Ad pium exercitium tamen peragendum requiritur tantum pia meditatio Passionis et Mortis Domini, neque de singulis stationum mysteriis instituenda est consideratio.

4. Requiritur motus ab una ad aliam stationem.

Si pium exercitium publice peragatur et motus omnium praesentium fieri nequeat sine perturbatione, sufficit ut saltem qui exercitium dirigit ad singulas stationes se conferat, dum alii suum locum tenent.

5. Legitime impediti eandem indulgentiam acquirere poterunt si piae lectioni et meditationi Passionis et Mortis Domini nostri Iesu Christi saltem per aliquod tempus, ex. gr. per horae quadrantem, incubuerint.

6. Pio *Viae Crucis* exercitio assimilantur, etiam quoad indulgentiam assequendam, alia pia exercitia, a competenti Auctoritate adprobata, quibus memoria Passionis et Mortis Domini recolitur, quattuordecim pariter stationibus statutis.

7. Apud Orientales, ubi praedicti pii exercitii usus non habeatur, Patriarchae statuere poterunt, ad hanc indulgentiam lucrandam, aliud pium exercitium in memoriam Passionis et Mortis Domini nostri Iesu Christi.

64.

Visita, quaesumus, Domine

Visita, quaesumus, Domine, habitationem istam, et omnes insidias inimici ab ea longe repelle, angeli tui sancti habitent in ea, qui nos in pace custodiant; et benedictio tua sit super nos semper. Per Christum Dominum nostrum. Amen (*Lit. Hor., Ad Compl. post Vesp. dom.*).

Indulgentia partialis.

65.

Visitatio ecclesiae paroecialis

Conceditur *indulgentia plenaria* christifideli qui ecclesiam paroecialem pie visitet:

— die festo Titularis;

— die secunda Augusti, quo « Portiunculae » indulgentia occurrit.

Utraque indulgentia acquiri poterit vel die supra definito vel alio die ab Ordinario statuendo in fidelium utilitatem.

Iisdem indulgentiis gaudent ecclesia cathedralis et, si adsit, ecclesia concathedralis, etsi forte non sint paroeciales, necnon ecclesiae quasi-paroeciales.[4]

Praedictae indulgentiae iam comprehenduntur in Const. Apost. Indulgentiarum doctrina, *Norma 15; heic ratio habita est votorum quae Sacrae Paenitentiariae interim allata sunt.*

[4] Cf. can. 516, § 1, *C.I.C.*

In pia visitatione, iuxta Normam 16 eiusdem Constitutionis Apostolicae,[5] « *recitantur oratio Dominica et fidei symbolum* (Pater *et* Credo) ».

66.

Visitatio ecclesiae vel altaris die dedicationis

Conceditur *indulgentia plenaria* christifideli qui ecclesiam vel altare, ipso dedicationis die, pie visitet ibique recitet *Pater* et *Credo*.

67.

Visitatio ecclesiae vel oratorii in Commemoratione omnium fidelium defunctorum

Conceditur *indulgentia plenaria,* animabus in Purgatorio detentis tantummodo applicabilis, christifidelibus qui, die quo Commemoratio omnium fidelium defunctorum celebratur, ecclesiam aut oratorium pie visitent.

Praedicta indulgentia acquiri poterit vel die supra definito vel, de consensu Ordinarii, die Dominico antecedenti aut subsequenti aut die festo Omnium Sanctorum.

Indulgentia praedicta comprehenditur iam in Const. Apost. Indulgentiarum doctrina, *Norma 15; heic ratio habita est votorum quae interim Sacrae Paenitentiariae allata sunt.*

In pia visitatione, iuxta Normam 16 eiusdem Constitutionis Apostolicae,[6] « *recitantur oratio Dominica et fidei symbolum* (Pater *et* Credo) ».

---

[5] Cf. etiam supra, Norma 25, p. 26.
[6] Cf. etiam supra, Norma 22, p. 25.

68.

Visitatio ecclesiae vel oratorii Religiosorum die eorum Fundatori sacro

Conceditur *indulgentia plenaria* christifideli qui ecclesiam vel oratorium Religiosorum die eorum Fundatori sacro pie visitet ibique recitet *Pater* et *Credo*.

69.

Visitatio pastoralis

Christifideli, qui ecclesiam vel oratorium pie visitet tempore quo pastoralis visitatio ibidem peragitur, conceditur *indulgentia partialis*; eidem autem conceditur semel *indulgentia plenaria* si, eodem tempore perdurante, sacrae functioni assistat, cui Visitator praesit.

70.

Votorum baptismalium renovatio

Conceditur *indulgentia partialis* christifideli qui vota baptismalia qualibet usitata formula renovet; quod si hoc agat in celebratione Vigiliae Paschalis vel die anniversario sui baptismatis *indulgentiam plenariam* assequetur.

Appendix

PIAE INVOCATIONES

Ad quamlibet piam invocationem quod attinet, haec notanda sunt:

1. Invocatio, quoad indulgentiam, non habetur amplius opus distinctum seu completum, sed uti complementum operis, quo christifidelis in suis officiis gerendis et vitae aerumnis tolerandis animum ad Deum humili fiducia elevat. Unde pia invocatio elevationem mentis complet; et ambae sunt veluti gemma, quae communibus activitatibus inseritur easque exornat, et quasi sal quo eaedem activitates apte condiuntur.

2. Praeferenda est invocatio, quae rerum et animi adiunctis magis congruit: quaeque vel ex animo sponte oritur vel eligitur ex iis quae diuturno christifidelium usu sunt probatae et quarum infra additur brevis elenchus.

3. Invocatio potest esse brevissima, uno vel paucis verbis expressa aut mente tantum concepta.
Nonnulla exempla afferre placet: Deus meus - Pater - Iesus - Laudetur Iesus Christus (*vel alia usitata christiana salutatio*) - Credo in te, Domine - Adoro te - Spero in te - Amo te - Omnia pro te - Gratias ago tibi (*vel* Deo gratias) - Deus sit benedictus (*vel* Benedicamus Domino) - Adveniat regnum tuum - Fiat voluntas tua - Sicut Domino placet - Adiuva me, Deus - Conforta me - Exaudi me (*vel* Exaudi orationem meam) - Salva me - Miserere mei - Parce mihi, Domine - Ne permittas me separari a te - Ne derelinquas me - Ave, Maria - Gloria in excelsis Deo - Domine, magnus es tu.

1. Adoramus te, Christe, et benedicimus tibi; quia per Crucem tuam redemisti mundum.

2. Benedicta sit sancta Trinitas.

3. Christus vincit! Christus regnat! Christus imperat!

4. Cor Iesu, flagrans amore nostri, inflamma cor nostrum amore tui.

5. Cor Iesu, in te confido.

6. Cor Iesu, omnia pro te.

7. Cor Iesu sacratissimum, miserere nobis.

8. Deus meus et omnia.

9. Deus, propitius esto mihi peccatori.

10. Dignare me laudare te, Virgo sacrata; da mihi virtutem contra hostes tuos.

11. Doce me facere voluntatem tuam, quia Deus meus es tu.

12. Domine, adauge nobis fidem.

13. Domine, fiat unitas mentium in veritate et unitas cordium in caritate.

14. Domine, salva nos perimus.

15. Dominus meus et Deus meus!

16. Dulce Cor Mariae, esto salus mea.

17. Gloria Patri et Filio et Spiritui Sancto.

18. Iesu, Maria, Ioseph.

19. Iesu, Maria, Ioseph, vobis cor et animam meam dono.

    Iesu, Maria, Ioseph, adstate mihi in extremo agone.

Iesu, Maria, Ioseph, in pace vobiscum dormiam et requiescam.

20. Iesu, mitis et humilis corde, fac cor nostrum secundum Cor tuum.

21. Laudetur et adoretur in aeternum sanctissimum Sacramentum.

22. Mane nobiscum, Domine.

23. Mater dolorosa, ora pro nobis.

24. Mater mea, fiducia mea.

25. Mitte, Domine, operarios in messem tuam.

26. Nos cum prole pia benedicat Virgo Maria.

27. O crux, ave, spes unica.

28. Omnes Sancti et Sanctae Dei, orate pro nobis.

29. Ora pro nobis, sancta Dei Genetrix, ut digni efficiamur promissionibus Christi.

30. Pater, in manus tuas commendo spiritum meum.

31. Pie Iesu Domine, dona eis requiem.

32. Regina sine labe originali concepta, ora pro nobis.

33. Sancta Dei Genetrix, semper Virgo Maria, intercede pro nobis.

34. Sancta Maria, Mater Dei, ora pro me.

35. Tu es Christus, Filius Dei vivi.

Documentum

CONSTITUTIO APOSTOLICA

INDULGENTIARUM DOCTRINA

———

PAULUS EPISCOPUS

SERVUS SERVORUM DEI
AD PERPETUAM REI MEMORIAM

I

1. Indulgentiarum doctrina et usus, in catholica Ecclesia a pluribus saeculis vigentes, in divina revelatione quasi in solido fundamento innituntur,[1] quae, ab Apostolis tradita, « sub assistentia Spiritus Sancti in Ecclesia proficit », dum « Ecclesia ..., volventibus saeculis, ad plenitudinem divinae veritatis iugiter tendit, donec in ipsa consummentur verba Dei ».[2]

Ad rectam autem huius doctrinae eiusque salutaris usus intellegentiam quasdam veritates recolamus oportet, quas universa Ecclesia verbo Dei illuminata semper credidit, et Episcopi, Apostolorum successores, atque imprimis Ro-

---

[1] Cf. CONCILIUM TRIDENTINUM, Sessio XXV, *Decretum de indulgentiis*: « Cum potestas conferendi indulgentias a Christo Ecclesiae concessa sit, atque huiusmodi potestate divinitus sibi tradita antiquissimis etiam temporibus illa usa fuerit ... »: D.-S. (= Denzinger-Schönmetzer) 1835; cf. *Mt.* 28, 18.

[2] CONCILIUM VATICANUM II, Const. dogm. de divina revelatione *Dei verbum*, n. 8: *A.A.S.*, 58 (1966) p. 821; cf. CONCILIUM VATICANUM I, Const. dogm. de fide catholica *Dei Filius*, cap. 4 De fide et ratione: D.-S. 3020.

mani Pontifices, successores Beati Petri, sive per pastoralem praxim sive per doctrinalia documenta decursu saeculorum docuerunt et docent.

2. Quemadmodum divina revelatione docemur, poenae peccata consequuntur a divina sanctitate et iustitia inflictae, sive in hoc mundo luendae, doloribus, miseriis et aerumnis huius vitae et praesertim morte,[3] sive etiam per ignem et tormenta vel poenas *catharterias* in futuro saeculo.[4] Christifideles proinde semper sibi per-

[3] Cf. *Gn.* 3, 16-19: « Mulieri quoque dixit (Deus): Multiplicabo aerumnas tuas et conceptus tuos; in dolore paries filios et sub viri potestate eris et ipse dominabitur tui. Adae vero dixit: Quia audisti vocem uxoris tuae et comedisti de ligno, ex quo praeceperam tibi ne comederes, maledicta terra in opere tuo: in laboribus comedes ex ea cunctis diebus vitae tuae. Spinas et tribulos germinabit tibi ... In sudore vultus tui vesceris pane, donec revertaris in terram, de qua sumptus es; quia pulvis es, et in pulverem reverteris ».
Cf. etiam *Lc.* 19, 41-44; *Rm.* 2, 9 et *1 Cor.* 11, 30.
Cf. AUGUSTINUS, *Enarr in Ps. LVIII* 1, 13: « Iniquitas omnis, parva magnave sit, puniatur necesse est, aut ab ipso homine paenitente, aut a Deo vindicante »: *CCL* 39, p. 739; *PL* 36, 701.
Cf. THOMAS, *S. Th.* 1-2, q. 87, a. 1: « Cum autem peccatum sit actus inordinatus, manifestum est quod quicumque peccat, contra aliquem ordinem agit. Et ideo ab ipso ordine consequens est quod deprimatur. Quae quidem depressio poena est ».
[4] Cf. *Mt.* 25, 41-42: « Discedite a me, maledicti, in ignem aeternum, qui paratus est diabolo et angelis eius. Esurivi enim, et non dedisti mihi manducare ». Vide etiam *Mr.* 9, 42-43; *Io.* 5, 28-29; *Rm.* 2, 9; *Gal.* 6, 6-8.
Cf. CONCILIUM LUGDUNENSE II, Sessio IV, *Professio fidei Michaëlis Palaeologi imperatoris*: D.-S. 856-858.
Cf. CONCILIUM FLORENTINUM, *Decretum pro Graecis*: D.-S. 1304-1306.
Cf. AUGUSTINUS, *Enchiridion,* 66, 17: « Multa etiam hic

suasum habebant pravam viam offendicula multa habere, eamque asperam, spinosam et nocivam esse iis, qui ambularent in ea.[5]

Quae poenae iusto et misericordi iudicio Dei imponuntur ad purificandas animas et sanctitatem ordinis moralis defendendam, et ad gloriam Dei in plenam eius maiestatem restituendam. Omne enim peccatum secumfert perturbationem ordinis universalis, quem Deus ineffabili sapientia et infinita caritate disposuit, et destructionem ingentium bonorum respectu tum peccatoris ipsius tum communitatis hominum. Menti autem christianorum omnium temporum clare apparebat peccatum, non solum transgressionem legis divinae, sed insuper, etsi non semper directe et aperte, esse contemptum vel neglectum personalis amicitiae inter Deum et hominem,[6] et ve-

---

videntur ignosci et nullis suppliciis vindicari; sed eorum poenae reservantur in posterum. Neque enim frustra ille proprie dicitur dies iudicii, quando venturus est iudex vivorum atque mortuorum. Sicut e contrario vindicantur hic aliqua, et tamen si remittuntur, profecto in futuro saeculo non nocebunt. Propterea de quibusdam temporalibus poenis, quae in hac vita peccantibus irrogantur, eis quorum peccata delentur, ne reserventur in finem, ait Apostolus (*1 Cor.* 11, 31-32): "Si enim nos ipsos iudicaremus, a Domino non iudicaremur, cum iudicamur autem a Domino corripimur, ne cum hoc mundo damnemur" »: ed. Scheel, Tubingae 1930, p. 42; *PL* 40, 263.

[5] Cf. *Hermae pastor,* Mand. 6, 1, 3: FUNK, *Patres Apostolici* 1, p. 487.

[6] Cf. *Is.* 1, 2-3: « Filios enutrivi et exaltavi, ipsi autem spreverunt me. Cognovit bos possessorem suum, et asinus praesaepe domini sui; Israël autem me non cognovit, et populus meus non intellexit ». Cf. etiam *Deut.* 8, 11 et 32, 15 ss.; *Ps. 105,* 21 et 118, passim; *Sap.* 7, 14; *Is.* 17, 10 et 44, 21; *Ier.* 33, 88; *Ez.* 20, 27.

Cf. CONCILIUM VATICANUM II, Const. dogm. de divina

ram ac numquam satis aestimabilem Dei offen-
sam, immo ingratam reiectionem amoris Dei in
Christo nobis oblati, cum Christus discipulos
suos amicos vocaverit, non servos.[7]

3. Necessarium est ergo ad peccatorum plenam remissionem et reparationem, quae dicitur,
non solum ut per sinceram conversionem mentis
amicitia cum Deo restauretur et offensa sapien-
tiae et bonitati Eius illata expietur, sed etiam
ut omnia bona tum personalia tum socialia tum
ea, quae ad ipsum ordinem universalem pertinent, per peccatum imminuta vel destructa,
plene redintegrentur, vel per voluntariam reparationem quae non erit sine poena, vel per
tolerantiam poenarum ab ipsa iusta et sanctis-
sima Dei sapientia statutarum, e quibus eluce-
scant in universo mundo sanctitas et splendor
gloriae Dei. Ab existentia autem et gravitate
poenarum dignoscuntur peccati insipientia et
malitia, eiusque malae sequelae.

Poenas vero luendas vel reliquias peccatorum
purificandas manere posse et revera frequenter
manere etiam postquam culpa iam remissa est,[8]

revelatione *Dei verbum,* n. 2: « Hac itaque revelatione Deus
invisibilis (cf. *Col.* 1, 15; *1 Tm.* 1, 17) ex abundantia caritatis
suae homines tamquam amicos alloquitur (cf. *Ex.* 33, 11;
Io. 15, 14-15) et cum eis conversatur (cf. *Bar.* 3, 38), ut eos
ad societatem Secum invitet in eamque suscipiat »: *A.A.S.,*
58 (1966) p. 818. Cf. etiam *ibid.,* n. 21: *l. c.* pp. 827-828.
    [7] Cf. *Io.* 15, 14-15.
    Cf. CONCILIUM VATICANUM II, Const. past. de Ecclesia
in mundo huius temporis *Gaudium et spes,* n. 22: *A.A.S.,*
58 (1966) p. 1042; et Decr. de activitate missionali Ecclesiae *Ad gentes divinitus,* n. 13: *A.A.S.,* 58 (1966) p. 962.
    [8] Cf. *Num.* 20, 12: « Dixitque Dominus ad Moysen et

doctrina de purgatorio luculenter ostendit: in hoc enim animae defunctorum, quae « vere paenitentes in Dei caritate decesserint, antequam dignis paenitentiae fructibus de commissis satisfecerint et omissis »,[9] post mortem poenis purgatoriis purificantur. Ipsae quoque liturgicae preces idem satis indicant, quibus ab antiquissimis temporibus communitas christiana ad sacram synaxim admissa utitur orans « ut qui

Aaron: Quia non credidistis mihi, ut sanctificaretis me coram filiis Israel, non introducetis hos populos in terram quam dabo eis ».

Cf. *Num.* 27, 13-14: « Cumque videris eam, ibis et tu ad populum tuum, sicut ivit frater tuus Aaron, quia offendistis me in deserto Sin in contradictione multitudinis nec sanctificare me voluistis coram ea super aquas ».

Cf. *2 Reg.* 12, 13-14: « Et dixit David ad Nathan: Peccavi Domino. Dixitque Nathan ad David: Dominus quoque transtulit peccatum tuum: non morieris. Veruntamen, quoniam blasphemare fecisti inimicos Domini propter verbum hoc, filius, qui natus est tibi, morte morietur ».

Cf. INNOCENTIUS IV, *Instructio pro Graecis*: D.-S. 838.

Cf. CONCILIUM TRIDENTINUM, Sessio VI, can. 30: « Si quis post acceptam iustificationis gratiam cuilibet peccatori paenitenti ita culpam remitti et reatum aeternae poenae deleri dixerit, ut nullus remaneat reatus poenae temporalis, exsolvendae vel in hoc saeculo vel in futuro in purgatorio, antequam ad regna caelorum aditus patere possit: an. s. »: D.-S. 1580; cf. etiam D.-S. 1689, 1693.

Cf. AUGUSTINUS, *In Io. ev. tr.* 124, 5: « Cogitur homo tolerare (hanc vitam) etiam remissis peccatis; quamvis ut in eam veniret miseriam, primum fuerit causa peccatum. Productior est enim poena quam culpa, ne parva putaretur culpa, si cum illa finiretur et poena. Ac per hoc vel ad demonstrationem debitae miseriae, vel ad emendationem labilis vitae, vel ad exercitationem necessariae patientiae, temporaliter hominem detinet poena et quem iam ad damnationem sempiternam reum non detinet culpa »: *CCL* 36, pp. 683-684; *PL* 35, 1972-1973.

[9] CONCILIUM LUGDUNENSE II, Sessio IV: D.-S. 856.

iuste pro peccatis nostris affligimur, pro tui nominis gloria misericorditer liberemur ».[10]

Omnes autem homines in hoc mundo peregrinantes levia saltem et quotidiana peccata, quae dicuntur, committunt:[11] ita ut omnes misericordia Dei indigeant, ut a peccatorum sequelis poenalibus liberentur.

II

4. Ex arcano ac benigno divinae dispositionis mysterio, homines supernaturali necessitudine inter se coniunguntur, qua peccatum unius etiam

[10] Cf. *Missale Romanum,* Oratio Dom. in Septuag.: Preces populi tui, quaesumus, Domine, clementer exaudi: ut, qui iuste pro peccatis nostris affligimur, pro tui nominis gloria misericorditer liberemur.

Cf. *Ibid.,* Oratio super populum feriae II post dom. I in Quadrag.: Absolve, quaesumus, Domine, nostrorum vincula peccatorum: et, quidquid pro eis meremur, propitiatus averte.

Cf. *Ibid.,* Postcommunio Dom. III in Quadrag.: A cunctis nos, quaesumus, Domine, reatibus et periculis propitiatus absolve: quos tanti mysterii tribuis esse participes.

[11] Cf. *Iac.* 3, 2: « In multis enim offendimus omnes ».

Cf. *1 Io.* 1, 8: « Si dixerimus quoniam peccatum non habemus, ipsi nos seducimus, et veritas in nobis non est ». Quem textum Concilii Carthaginiense sic commentatur: « Item placuit, quod ait S. Ioannes Apostolus: Si dixerimus, quia peccatum non habemus, nos ipsos seducimus, et veritas in nobis non est: quisquis sic accipiendum putaverit, ut dicat propter humilitatem oportere dici, nos habere peccatum, non quia vere ita est, an. s. »: D.-S. 228.

Cf. CONCILIUM TRIDENTINUM, Sessio VI, *Decr. de iustificatione,* cap. 11: D.-S. 1537.

Cf. CONCILIUM VATICANUM II, Const. dogm. de Ecclesia *Lumen gentium,* n. 40: « Cum vero in multis offendimus omnes (cf. *Iac.* 3, 2), misericordiae Dei iugiter egemus atque orare quotidie debemus: "Et dimitte nobis debita nostra" (*Mt.* 6, 12) »: *A.A.S.,* 57 (1965) p. 45.

ceteris nocet, sicut etiam sanctitas unius bene-
ficium ceteris affert.[12] Ita christifideles auxilium
sibi invicem praestant ad finem supernaturalem
consequendum. Communionis huius testimonium
in ipso Adamo manifestatur, cuius peccatum in
omnes homines propagatione transit. Sed maius
et perfectius necessitudinis huius supernaturalis
principium, fundamentum et exemplar est ipse
Christus, in cuius societatem Deus non vocavit.[13]

[12] Cf. AUGUSTINUS, *De bapt. contra Donat.* 1, 28: *PL*
43, 124.
[13] Cf. *Io.* 15, 5: « Ego sum vitis, vos palmites; qui manet in me, et ego in eo, hic fert fructum multum ».
Cf. *1 Cor.* 12, 27: « Vos autem estis corpus Christi et
membra de membro ». Cf. etiam *1 Cor.* 1, 9 et 10, 17;
Eph. 1, 20-23 et 4, 4.
Cf. CONCILIUM VATICANUM II, Const. dogm. de Ecclesia
Lumen gentium, n. 7: *A.A.S.,* 57 (1965) pp. 10-11.
Cf. PIUS XII, Litt. encycl. *Mystici Corporis*: « Ex eadem
autem Spiritus Christi communicatione efficitur ut ... Ecclesia veluti plenitudo constituatur et complementum Redemp-
toris, Christus vero quoad omnia in Ecclesia quodammodo
adimpleatur (cf. THOMAS, *Comm. in epist ad Eph.* 1, lect. 8).
Quibus quidem verbis ipsam attigimus rationem, cur ... Caput mysticum quod Christus est, et Ecclesia, quae hisce in
terris veluti alter Christus eius personam gerit, unum novum hominem constituant, quo in salutifero crucis opere
perpetuando caelum et terra iunguntur: Christum dicimus
Caput et Corpus, Christum totum »: D.-S. 3813; *A.A.S.,*
35 (1943) pp. 230-231.
Cf. AUGUSTINUS, *Enarr. 2 in Ps. XC,* 1: « Dominus noster Iesus Christus, tamquam totus perfectus vir, et caput,
et corpus: caput in illo homine agnoscimus, qui natus
de Maria virgine ... Hoc est caput ecclesiae. Corpus huius
capitis ecclesia est, non quae hoc loco est, sed et quae hoc
loco et per totum orbem terrarum; nec illa quae hoc tempore, sed ab ipso Abel usque ad eos qui nascituri sunt
usque in finem et credituri in Christum, totus populus sanctorum ad unam civitatem pertinentium; quae civitas corpus est Christi, cui caput est Christus »: *CCL* 39, p. 1266;
PL 37, 1159.

5. Etenim Christus, « qui peccatum non fecit », « passus est pro nobis »; [14] « vulneratus est propter iniquitates nostras, attritus est propter scelera nostra ... et livore eius sanati sumus ». [15]

Christi vestigia secuti, [16] christifideles semper conati sunt se invicem adiuvare in via ad Patrem caelestem, oratione, spiritualium bonorum exhibitione et paenitentiali expiatione; quo ferventiore autem caritate excitabantur, eo magis sectabantur Christum patientem, crucem propriam ferentes in expiationem peccatorum suorum et aliorum, certo scientes se fratribus suis ad salutem adipiscendam opitulari posse apud Deum misericordiarum Patrem. [17] Hoc peranti-

[14] Cf. *1 Pt.* 2, 22 et 21.
[15] Cf. *Is.* 53, 4-6 cum *1 Pt.* 2, 21-25; cf. etiam *Io.* 1, 29; *Rm.* 4, 25 et 5, 9 ss.; *1 Cor.* 15, 3; *2 Cor.* 5, 21; *Gal.* 1, 4; *Eph.* 1, 7 ss.; *Heb.* 1, 3 etc.; *1 Io.* 3, 5.
[16] Cf. *1 Pt.* 2, 21.
[17] Cf. *Col.* 1, 24: « Qui nunc gaudeo in passionibus pro vobis et adimpleo ea quae desunt passionum Christi in carne mea pro corpore eius, quod est ecclesia ».
Cf. CLEMENS ALEXANDRINUS, *Lib. Quis dives salvetur* 42: S. Ioannes Apostolus iuvenem latronem hortatur ad paenitentiam, exclamans: « Ego pro te Christo rationem reddam. Si sit opus, tuam ipse libens mortem sustinebo, quemadmodum Dominus pro nobis mortem tulit. Animam meam pro tua vicariam dabo »: *GCS Clemens* 3, p. 190; *PG* 9, 650.
Cf. CYPRIANUS, *De lapsis* 17; 36: « Credimus quidem posse apud iudicem plurimum martyrum merita et opera iustorum, sed cum iudicii dies venerit, cum post occasum saeculi huius et mundi ante tribunal Christi populus eius adstiterit ». « Paenitenti, operanti, roganti potest clementer ignoscere, potest in acceptum referre quidquid pro talibus et petierint martyres et fecerint sacerdotes »: *CSEL* 31, pp. 249-250 et 263; *PL* 4, 495 et 508.
Cf. HIERONYMUS, *Contra Vigilantium* 6: « Dicis in libello

quum communionis Sanctorum dogma est,[18] quo
vita singulorum filiorum Dei in Christo et per
Christum cum vita omnium aliorum fratrum

tuo, quod dum vivimus, mutuo pro nobis orare possumus;
postquam autem mortui fuerimus, nullius sit pro alio exau-
dienda oratio: praesertim cum martyres ultionem sui sanguinis obsecrantes, impetrare non quiverint (*Apoc.* 6, 10).
Si apostoli et martyres adhuc in corpore constituti possunt
orare pro caeteris, quando pro se adhuc debent esse solli-
citi: quanto magis post coronas, victorias et triumphos?»:
PL 23, 359.

Cf. BASILIUS MAGNUS, *Homilia in martyrem Julittam*
9: «Oportet igitur flere cum flentibus. Ubi videris fratrem
lugentem ob peccatorum paenitentiam, lacrimare cum viro
eiusmodi ac illius commiseresce. Ita enim tibi licebit ex
malis alienis tuum corrigere. Nam qui fervidas lacrimas
pro peccato proximi effundit, dum fratrem deflet, medetur
sibimetipsi ... Luge peccati causa. Animae aegritudo est
peccatum; mors est animae immortalis; peccatum luctu
atque irrequietis lamentis dignum est»: *PG* 31, 258-259.

Cf. IOANNES CHRYSOSTOMUS, *In epist. ad Philipp.* 1, hom.
3, 3: «Igitur non generatim eos qui moriuntur, lugeamus,
neque de viventibus generatim gaudeamus; sed quid? Lugeamus peccatores non solum morientes, sed etiam viven-
tes: de iustis gaudeamus, non solum dum vivunt, verum
etiam postquam mortui fuerint»: *PG* 62, 223.

Cf. THOMAS, *S. Th.* 1-2, q. 87, a. 8: «Si loquamur de
poena satisfactoria, quae voluntarie assumitur, contingit
quod unus portet poenam alterius, inquantum sunt quodammodo unum ... Si autem loquamur de poena pro peccato inflicta, inquantum habet rationem poenae, sic solum
unusquisque pro peccato suo punitur: quia actus peccati
aliquid personale est. Si autem loquamur de poena quae
habet rationem medicinae, sic contingit quod unus punitur
pro peccato alterius. Dictum est enim quod detrimenta cor-
poralium rerum, vel etiam ipsius corporis, sunt quaedam
poenales medicinae ordinatae ad salutem animae. Unde
nihil prohibet talibus poenis aliquem puniri pro peccato alterius, vel a Deo vel ab homine».

[18] Cf. LEO XIII, Epist. encycl. *Mirae caritatis*: «Nihil
est enim aliud sanctorum communio ... nisi mutua auxilii,
expiationis, precum, beneficiorum communicatio inter fideles vel caelesti patria potitos vel igni piaculari addictos

christianorum mirabili nexu coniungitur in supernaturali unitate Corporis mystici Christi, quasi in una mystica persona.[19]

Hoc modo exhibetur «thesaurus Ecclesiae».[20]

vel adhuc in terris peregrinantes, in unam coalescentes civitatem, cuius caput Christus, cuius forma caritas»: *Acta Leonis XIII*, 22 (1902) p. 129; D.-S. 3363.

[19] Cf. *1 Cor.* 12, 12-13: « Sicut enim corpus unum est et membra habet multa; omnia autem membra corporis, cum sint multa, unum tamen corpus sunt; ita et Christus. Etenim in uno Spiritu omnes nos in unum corpus baptizati sumus ».

Cf. Pius XII, Litt. encycl. *Mystici Corporis*: « Ita (Christus) in Ecclesia quodammodo vivit, ut ipsa quasi altera Christi persona exsistat. Quod quidem gentium Doctor ad Corinthios scribens affirmat, cum, nihil aliud adiiciens, "Christum" Ecclesiam vocat (cf. *1 Cor.* 12, 12), ipsumque profecto Magistrum imitatus, qui eidem Ecclesiam insectanti adclamaverat ex alto: "Saule, Saule, quid me persequeris?" (cf. *Act.* 9, 4; 22, 7; 26, 14). Quin immo si Nysseno credimus, saepius ab apostolo Ecclesia "Christus" nuncupatur (cf. *De vita Moysis*: *PG* 44, 385); nec ignotum vobis est, venerabiles Fratres, illud Augustini effatum: "Christus praedicat Christum" (cf. *Sermones* 354, 1; *PL* 39, 1563) »: *A.A.S.*, 35 (1943) p. 218.

Cf. Thomas, *S. Th.* 3, q. 48, a. 2 ad 1 et q. 49, a. 1.

[20] Cf. Clemens VI, Bulla Iubilaei *Unigenitus Dei Filius*: « Unigenitus Dei Filius ... thesaurum militanti Ecclesiae acquisivit ... Quem quidem thesaurum ... per beatum Petrum caeli clavigerum, eiusque successores, suos in terris vicarios, commisit fidelibus salubriter dispensandum ... Ad cuius quidem thesauri cumulum beatae Dei Genetricis omniumque electorum a primo iusto usque ad ultimum merita adminiculum praestare noscuntur ... »: D.-S. 1025, 1026, 1027.

Cf. Sixtus IV, Epist. encycl. *Romani Pontificis*: « ... Nos, quibus plenitudo potestatis ex alto est attributa, de thesauro universalis Ecclesiae, qui ex Christi Sanctorumque eius meritis constat, Nobis commisso, auxilium et suffragium animabus purgatorii afferre cupientes ... »: D.-S. 1406.

Cf. Leo X, Decretum *Cum postquam* ad Caietanum de Vio legatum papae: « ... thesaurum meritorum Iesu Christi et Sanctorum dispensare ... »: D.-S. 1448; cf. D.-S. 1467 et 2641.

Qui quidem non est quasi summa bonorum ad instar materialium divitiarum, quae per saecula cumulantur, sed est infinitum et inexhaustum pretium, quod apud Deum habent expiationes et merita Christi Domini, oblata ut humanitas tota a peccato liberetur et ad communionem cum Patre perveniat; est ipse Christus Redemptor, in quo sunt et vigent satisfactiones et merita redemptionis eius.[21] Praeterea ad hunc thesaurum pertinet etiam pretium vere immensum et incommensurabile et semper novum, quod coram Deo habent orationes ac bona opera Beatae Mariae Virginis et omnium Sanctorum, qui, Christi Domini per ipsius gratiam vestigia secuti, semetipsos sanctificaverunt, et perfecerunt opus a Patre acceptum; ita ut, propriam salutem operantes, etiam ad salutem fratrum suorum in unitate Corporis mystici contulerint.

« Universi enim qui Christi sunt, Spiritum eius habentes, in unam Ecclesiam coalescunt et invicem cohaerent in ipso (cf. *Eph*. 4, 16). Viatorum igitur unio cum fratribus qui in pace Christi dormierunt, minime intermittitur, immo secundum perennem Ecclesiae fidem, spiritualium bonorum communicatione roboratur. Ex eo enim quod caelites intimius cum Christo uniuntur, totam Ecclesiam in sanctitatem firmius consolidant ... ac multipliciter ad ampliorem eius aedificationem contribuunt (cf. *1 Cor*. 12, 12-27). Nam in patriam recepti et praesentes ad Dominum (cf. *2 Cor*. 5, 8), per Ipsum, cum Ipso et in Ipso non desinunt apud Patrem pro no-

---

[21] Cf. *Heb*. 7, 23-25; 9, 11-28.

bis intercedere, exhibentes merita quae per unum
Mediatorem Dei et hominum, Christum Iesum
(cf. *1 Tm.* 2, 5), in terris sunt adepti, Domino
iu omnibus servientes et adimplentes ea quae
desunt passionum Christi in carne sua pro Corpore eius quod est Ecclesia (cf. *Col.* 1, 24).
Eorum proinde fraterna sollicitudine infirmitas
nostra plurimum iuvatur ».[22]

Unde inter fideles, vel caelesti patria potitos,
vel admissa in purgatorio expiantes, vel adhuc
iu terris peregrinantes, profecto est perenne caritatis vinculum et bonorum omnium abundans
permutatio, quibus, peccatis omnibus totius Corporis mystici expiatis, iustitia divina placatur :
misericordia autem Dei ad veniam provocatur,
quo citius peccatores contriti ad plenam frui-
tionem bonorum familiae Dei perducantur.

III

6. Ecclesia, harum veritatum inde a primis
temporibus conscia, varias vias noverat et iniit,
ut fructus redemptionis Dominicae singulis fidelibus applicarentur, et ut fideles ad salutem fratrum operarentur; et sic totum corpus Ecclesiae
iu iustitia et sanctitate ad perfectum regni Dei
adventum componeretur, quando Deus erit omnia
in omnibus.

Ipsi enim Apostoli exhortabantur discipulos
suos, ut pro salute peccatorum orarent;[23] quem

[22] Concilium Vaticanum II, Const. dogm. de Ecclesia
Lumen gentium, n. 49: *A.A.S.*, 57 (1965) pp. 54-55.
[23] Cf. *Iac.* 5, 16: « Confitemini ergo alterutrum peccata

usum antiquissima Ecclesiae consuetudo sancte servavit,[24] maxime cum paenitentes intercessionem totius communitatis invocabant,[25] et eo quod defuncti suffragiis, praesertim oblatione sacrificii eucharistici, sublevabantur.[26] Etiam opera

vestra et orate pro invicem, ut salvemini; multum enim valet deprecatio iusti adsidua ».

Cf. *1 Io.* 5, 16: « Qui scit fratrem suum peccare peccatum non ad mortem petat, et dabitur ei vita peccanti non ad mortem ».

[24] Cf. Clemens Romanus, *Ad Cor.* 56, 1: « Oremus igitur et nos pro iis, qui in peccato quopiam versantur, ut moderatio et humilitas iis concedatur, ut non nobis, sed voluntati divinae cedant. Sic enim mentio, quae cum misericordia eorum fit apud Deum et sanctos, ipsis fructuosa erit et perfecta »: Funk, *Patres Apostolici* 1, p. 171.

Cf. *Martyrium s. Polycarpi* 8, 1: « Cum autem precationem tandem finiisset, in qua mentionem fecerat omnium, qui aliquando cum ipso versati fuerant, parvorum quidem et magnorum, clarorum et obscurorum totiusque per orbem terrarum catholicae ecclesiae ... »: Funk, *Patres Apostolici* 1, p. 321, 323.

[25] Cf. Sozomenus, *Hist. Eccl.* 7, 16: In paenitentia publica, peractis iam missarum solemnibus, in ecclesia romana, paenitentes « cum gemitu ac lamentis pronos se in terram abiciunt. Tum episcopus cum lacrimis ex adverso occurrens, pariter ipse humi provolvitur; et universa ecclesiae multitudo, simul confitens, lacrimis perfunditur. Posthaec vero primus exsurgit episcopus, ac prostratos erigit; factaque, ut decet, precatione pro peccatoribus paenitentiam agentibus, eos dimittit »: *PG* 67, 1462.

[26] Cf. Cyrillus Hierosolymitanus, *Catechesis* 23 (*mystag.* 5), 9; 10: « Deinde et pro defunctis sanctis patribus et episcopis, et omnibus generatim qui inter nos vita functi sunt (oramus); maximum hoc credentes adiumentum illis animabus fore, pro quibus oratio defertur, dum sancta et perquam tremenda coram iacet victima ». Re autem confirmata exemplo coronae, quae plectitur imperatori, ut in exsilium pulsis veniam praestet, idem S. Doctor sermonem concludit dicens: « Ad eundem modum et nos pro defunctis, etiamsi peccatores sint, preces Deo offerentes, non coronam

97

bona, ea imprimis quae humanae fragilitati difficilia sunt, in Ecclesia iam ab antiquis temporibus pro salute peccatorum Deo offerebantur.[27] Cum autem passiones, quas martyres pro fide atque pro lege Dei sustinebant, magni aestimarentur, paenitentes ab iis petere solebant, ut eorundem meritis adiuti celerius ab episcopis reconciliationem acciperent.[28] Preces enim et bona opera iustorum tanti aestimabantur, ut paenitentem adiutorio totius plebis christianae lavari, mundari atque redimi affirmaretur.[29]

---

plectimus; sed Christum mactatum pro peccatis nostris offerimus, clementem Deum cum pro illis tum pro nobis demereri et propitiare satagentes»: *PG* 33, 1115; 1118.

Cf. AUGUSTINUS, *Confessiones* 9, 12, 32: *PL* 32, 777; et 9, 11, 27: *PL* 32, 775; *Sermones* 172, 2: *PL* 38, 936; *De cura pro mortuis gerenda* 1, 3: *PL* 40, 593.

[27] Cf. CLEMENS ALEXANDRINUS, *Lib. Quis dives salvetur* 42: (S. Ioannes Apostolus, in conversione iuvenis latronis) «Exinde partim crebris orationibus Deum deprecans, partim continuatis una cum iuvene ieiuniis simul decertans, variisque denique sermonum illecebris animum eius demulcens, non prius destitit, ut aiunt, quam illum firma constantia Ecclesiae gremio admovisset ... »: *CGS* 17, pp. 189-190; *PG* 9, 651.

[28] Cf. TERTULLIANUS, *Ad martyres* 1, 6: «Quam pacem quidam in ecclesia non habentes a martyribus in carcere exorare consueverunt »: *CCL* 1, p. 3; *PL* 1, 695.

Cf. CYPRIANUS, *Epist. 18* (alias: 12), 1: «Occurrendum puto fratribus nostris, ut qui libellos a martyribus acceperunt ... manu eis in paenitentiam imposita veniant ad Dominum cum pace quam dari martyres litteris ad nos factis desideraverunt»: *CSEL* 3², pp. 523-524; *PL* 4, 265; cf. Id., *Epist. 19* (alias: 13), 2: *CSEL* 3², p. 525; *PL* 4, 267.

Cf. EUSEBIUS CAESARIENSIS, *Hist. Eccl.* 1, 6, 42: *CGS Eus.* 2, 2, 610; *PG* 20, 614-615.

[29] Cf. AMBROSIUS, *De paenitentia* 1, 15: « ... velut enim operibus quibusdam totius populi purgatur, et plebis lacrimis abluitur, qui orationibus et fletibus plebis redimitur

In his omnibus vero non singuli fideles, propriis tantum viribus, pro remissione peccatorum
aliorum fratrum operari putabantur; ipsa enim
Ecclesia, ut unum corpus, Christo capiti iuncta,
in singulis membris satisfacere credebatur.[30]

Ecclesia autem Patrum sibi omnino persua-
sum habebat, se opus salvificum exsequi in
communione et sub auctoritate Pastorum, quos
Spiritus Sanctus posuit episcopos ad regendam
Ecclesiam Dei.[31] Episcopi itaque omnibus pru-
denter perpensis statuebant modum et mensuram satisfactionis praestandae, immo et permit-
tebant, ut paenitentiae canonicae aliis redimerentur operibus, forte facilioribus, bono communi

a peccato, et in homine mundatur interiore. Donavit enim
Christus ecclesiae suae, ut unum per omnes redimeret,
quae domini Iesu meruit adventum, ut per unum omnes
redimerentur»: *PL* 16, 511.

[30] Cf. TERTULLIANUS, *De paenitentia* 10, 5-6: «Non
potest corpus de unius membri vexatione laetum agere:
condoleat universum et ad remedium conlaboret necesse
est. In uno et altero ecclesia est, ecclesia vero Christus:
ergo cum te ad fratrum genua protendis Christum con-
trectas, Christum exoras; aeque illi cum super te lacrimas
agunt Christus patitur, Christus patrem deprecatur. Fa-
cile impetratur semper quod filius postulat»: *CCL* 1,
p. 337; *PL* 1, 1356.

Cf. AUGUSTINUS, *Enarr. in Ps LXXXV* 1: *CCL* 39,
pp. 1176-1177; *PL* 37, 1082.

[31] Cf. *Act.* 20, 28. Cf. etiam CONCILIUM TRIDENTINUM,
Sessio XXIII, *Decr. de sacramento ordinis*, c. 4: D.-S. 1768;
CONCILIUM VATICANUM I, Sessio IV, Const. dogm. de Ec-
clesia *Pastor aeternus*, c. 3: D.-S. 3061; CONCILIUM VATI-
CANUM II, Const. dogm. de Ecclesia *Lumen gentium*, n. 20:
A.A.S., 57 (1965) p. 23.

Cf. IGNATIUS ANTIOCHENUS, *Ad Smyrnaeos* 8, 1: «Sepa-
ratim ab episcopo nemo quidquam faciat eorum, quae ad
ecclesiam spectant ... »: FUNK, *Patres Apostolici* 1, p. 283.

convenientibus vel pietatem foventibus, quae ab ipsis paenitentibus, immo aliquando ab aliis fidelibus essent peracta.[32]

IV

7. Persuasio in Ecclesia vigens Dominici gregis Pastores per applicationem meritorum Christi et Sanctorum singulos fideles a reliquiis peccatorum liberare posse, paulatim decursu saeculorum, Spiritu Sancto afflante, qui populum Dei iugiter animat, usum indulgentiarum induxit, per quem profectus in doctrina ipsa et disciplina Ecclesiae factus est, non permutatio,[33] et ex radice revelationis novum bonum invectum ad utilitatem fidelium ac totius Ecclesiae.

---

[32] Cf. CONCILIUM NICAENUM I, can. 12: «... quicumque enim et metu, et lacrimis, et tolerantia, et bonis operibus conversionem et opere et habitu ostendunt, hi impleto auditionis tempore quod praefinitum est, merito orationum communionem habebunt, cum eo quod liceat etiam episcopo humanius aliquid de eis statuere ...»: MANSI, *SS. Conciliorum collectio*, 2, 674.

Cf. CONCILIUM NEOCAESARIENSE, can. 3: *l. c.* 540.

Cf. INNOCENTIUS I, *Epist.* 25, 7, 10: *PL* 20, 559.

Cf. LEO MAGNUS, *Epist.* 159, 6: *PL* 54, 1138.

Cf. BASILIUS MAGNUS, *Epist.* 217 (canonica 3), 74: « Quod si unusquisque eorum qui in praedictis peccatis fuere, paenitentiam agens, bonus evaserit, is cui a Dei benignitate ligandi atque solvendi credita potestas, si clementior fiat, perspecta illius qui peccavit paenitentiae magnitudine, ad diminuendum poenarum tempus, non erit dignus condemnatione, cum ea quae est in Scripturis, historia nos doceat, eos qui cum maiore labore paenitentiam agunt, cito Dei misericordiam consequi »: *PG* 32, 803.

Cf. AMBROSIUS, *De paenitentia* 1, 15 (vide supra, in nota 29).

[33] Cf. VINCENTIUS LIRINENSIS, *Commonitorium primum* 23: *PL* 50, 667-668.

Usus autem indulgentiarum, paulatim pro-
pagatus, tum maxime in historia Ecclesiae ut
factum conspicuum apparuit, quando Romani
Pontifices, opera quaedam bono communi Ecclesiae convenientia, « pro omni paenitentia repu-
tanda esse » decreverunt,[34] atque fidelibus « vere
paenitentibus et confessis » atque huiusmodi
opera peragentibus « de omnipotentis Dei misericordia et ... Apostolorum eius meritis et auctoritate confisi », « Apostolicae plenitudine potestatis », « non solum plenam et largiorem, immo
plenissimam omnium suorum ... veniam peccatorum » concedebant.[35]

Nam « Unigenitus Dei Filius ... thesaurum
militanti Ecclesiae acquisivit ... Quem quidem
thesaurum ... per beatum Petrum, caeli clavigerum, eiusque successores, suos in terris vicarios, commisit fidelibus salubriter dispensan-

---

[34] Cf. Concilium Claromontanum, can. 2: « Quicumque
pro sola devotione, non pro honoris vel pecuniae adeptione
ad liberandam ecclesiam Dei Ierusalem profectus fuerit,
iter illud pro omni paenitentia reputetur »: Mansi, *SS. Conciliorum collectio* 20, 816.

[35] Cf. Bonifatius VIII, Bulla *Antiquorum habet*: « Antiquorum habet fida relatio, quod accedentibus ad hono-
rabilem basilicam principis Apostolorum de Urbe concessae
sunt magnae remissiones et indulgentiae peccatorum; Nos
igitur ... huiusmodi remissiones et indulgentias omnes et
singulas ratas et gratas habentes, ipsas auctoritate Apostolica confirmamus et approbamus ... Nos de omnipotentis Dei misericordia et eorundem Apostolorum eius meritis
et auctoritate confisi, de fratrum Nostrorum consilio et
Apostolicae plenitudine potestatis omnibus ... ad basilicas
ipsas accedentibus reverenter, vere paenitentibus et confessis ... in huiusmodi praesenti et quolibet centesimo secu-
turo annis non solum plenam et largiorem, immo plenissimam omnium suorum concedemus et concedimus veniam
peccatorum ... »: D.-S. 868.

dum, et propriis et rationabilibus causis, nunc pro totali, nunc pro partiali remissione poenae temporalis pro peccatis debitae, tam generaliter quam specialiter (prout cum Deo expedire cognoscerent), vere paenitentibus et confessis misericorditer applicandum. Ad cuius quidem thesauri cumulum beatae Dei Genetricis omniumque electorum ... merita adminiculum praestare noscuntur ».[36]

8. Haec remissio poenae temporalis debitae pro peccatis, ad culpam quod attinet, iam deletis, proprio nomine « indulgentia » vocata est.[37]

Quae indulgentia communia quaedam habet

[36] Clemens VI, Bulla Iubilaei *Unigenitus Dei Filius*: D.-S. 1025, 1026 et 1027.

[37] Cf. Leo X, Decr. *Cum postquam*: « ... tibi significandum duximus, Romanam Ecclesiam, quam reliquae tamquam matrem sequi tenentur, tradidisse: Romanum Pontificem, Petri clavigeri successorem et Iesu Christi in terris vicarium, potestate clavium, quarum est aperire regnum caelorum tollendo illius in Christi fidelibus impedimenta (culpam scilicet et poenam pro actualibus peccatis debitam, culpam quidem mediante sacramento paenitentiae, poenam vero temporalem pro actualibus peccatis secundum divinam iustitiam debitam mediante ecclesiastica indulgentia), posse pro rationabilibus causis concedere eisdem Christi fidelibus, qui caritate iungente membra sunt Christi, sive in hac vita sint, sive in purgatorio, indulgentias ex superabundantia meritorum Christi et Sanctorum; ac tam pro vivis quam pro defunctis Apostolica auctoritate indulgentiam concedendo, thesaurum meritorum Iesu Christi et Sanctorum dispensare, per modum absolutionis indulgentiam ipsam conferre, vel per modum suffragii illam transferre consuevisse. Ac propterea omnes, tam vivos quam defunctos, qui veraciter omnes indulgentias huiusmodi consecuti fuerint, a tanta temporali poena, secundum divinam iustitiam pro peccatis suis actualibus debita liberari, quanta concessae et acquisitae indulgentiae aequivalet »: D.-S. 1447-1448.

cum aliis rationibus seu viis ad peccatorum reliquias tollendas initis, sed insimul ab iisdem rationibus plane distinguitur.

In indulgentia enim Ecclesia, sua potestate utens ministrae redemptionis Christi Domini, non tantum orat, sed christifideli apte disposito auctoritative dispensat thesaurum satisfactionum Christi et Sanctorum ad poenae temporalis remissionem.[38]

Finis quem ecclesiastica auctoritas sibi proponit in elargiendis indulgentiis, in hoc est positus ut non solum adiuvet christifideles ad paenas debitas luendas, sed etiam eosdem impellat ad pietatis, paenitentiae et caritatis opera peragenda, ea praesertim quae fidei incremento et bono communi conducunt.[39]

[38] Cf. PAULUS VI, Epist. *Sacrosancta Portiunculae*: « Indulgentia, quam paenitentibus Ecclesia largitur, est manifestatio illius mirabilis communionis Sanctorum, quae uno caritatis Christi nexu Beatissimam Virginem Mariam et christifidelium in caelis triumphantium vel in Purgatorio degentium vel in terris peregrinantium coetum mystice devincit. Etenim indulgentia, quae tribuitur ope Ecclesiae, minuitur vel omnino aboletur poena, qua homo quodammodo impeditur, ne arctiorem cum Deo coniunctionem assequatur; quapropter paenitens fidelis praesens reperit auxilium in hac singulari caritatis ecclesialis forma, ut veterem exuat hominem novumque induat, "qui renovatur in agnitionem secundum imaginem eius qui creavit illum" (*Col.* 3, 10) »: *A.A.S.*, 59 (1966) pp. 633-634.

[39] Cf. PAULUS VI, *Epist cit.*: « Iis vero christifidelibus, qui paenitentia ducti hanc "metanoian" adipisci nituntur, eo quod post peccatum eam sanctitatem affectant, qua primum baptismate induti sunt in Christo, obviam in Ecclesia, quae etiam largiendo indulgentias, materno quasi complexu et adiumento debiles infirmosque sustinet filios. Non est igitur indulgentia facilior via, qua necessariam peccatorum paenitentiam devitare possumus, sed est potius ful-

Quod si christifideles indulgentias in suffragium defunctorum transferant, eximio modo caritatem exercent et, dum superna cogitant, terrena rectius componunt.

Hanc doctrinam Magisterium Ecclesiae in variis documentis vindicavit atque declaravit.[40]

cimen, quod singuli fideles, infirmitatis suae cum humilitate nequaquam inscii, inveniunt in mystico Christi corpore, quod totum "eorum conversioni caritate, exemplo, precibus adlaborat" (Const. dogm. de Ecclesia *Lumen gentium*, n. 11) »: *A.A.S.*, 58 (1966) p. 632.

[40] CLEMENS VI, Bulla Iubilaei *Unigenitus Dei Filius*: D.-S. 1026.

CLEMENS VI, Epist. *Super quibusdam*: D.-S. 1059.

MARTINUS V, Bulla *Inter cunctas*: D.-S. 1266.

SIXTUS IV, Bulla *Salvator noster*: D.-S. 1398.

SIXTUS IV, Epist. encycl. *Romani Pontificis provida*: « Nos scandalis et erroribus huiusmodi ... obviare volentes per Brevia Nostra ad ... praelatos scripsimus, ut Christi fidelibus declarent, ipsam plenam indulgentiam pro animabus exsistentibus in purgatorio per modum suffragii per Nos fuisse concessam, non ut per indulgentiam praedictam Christi fideles ipsi a piis et bonis operibus revocarentur, sed ut illa in modum suffragii animarum saluti prodesset; perindeque ea indulgentia proficeret, acsi devotae orationes piaeque eleemosynae pro earundem animarum salute dicerentur et offerentur ... non quod intenderemus, prout nec intendimus, neque etiam inferre vellemus, indulgentiam non plus proficere aut valere quam eleemosynae et orationes, aut eleemosynas et orationes tantum proficere tantumque valere quantum indulgentia per modum suffragii, cum sciamus orationes et eleemosynas et indulgentiam per modum suffragii longe distare; sed eam "perinde" valere diximus, id est, per eum modum, "ac si" id est per quem orationes et eleemosynae valent. Et quoniam orationes et eleemosynae valent tamquam suffragia animabus impensa, Nos, quibus plenitudo potestatis ex alto est attributa, de thesauro universalis Ecclesiae, qui ex Christi Sanctorumque eius meritis constat, Nobis commisso, auxilium et suffragium animabus purgatorii afferre cupientes supradictam concessimus indulgentiam ... »: D.-S. 1405-1406.

LEO X, Bulla *Exsurge Domine*: D.-S. 1467-1472.

In usum quidem indulgentiarum nonnumquam abusus irrepserunt, tum quia « per indiscretas et superfluas indulgentias » claves Ecclesiae contemnebantur et paenitentialis satisfactio ener-

PIUS VI, Const. *Auctorem fidei*, prop. 40: « Propositio asserens, "indulgentiam secundum suam praecisam notionem aliud non esse quam remissionem partis eius paenitentiae, quae per canones statuta erat peccanti"; quasi indulgentia praeter nudam remissionem poenae canonicae non etiam valeat ad remissionem poenae temporalis pro peccatis actualibus debitae apud divinam iustitiam: — falsa, temeraria, Christi meritis iniuriosa, dudum in art. 19 Lutheri damnata »: D.-S. 2640. *Ibid.*, prop. 41: « Item in eo, quod subditur, "scholasticos suis subtilitatibus inflatos invexisse thesaurum male intellectum meritorum Christi et Sanctorum, et clarae notioni absolutionis a poena canonica substituisse confusam et falsam applicationis meritorum" quasi thesauri Ecclesiae, unde Papa dat indulgentias, non sint merita Christi et Sanctorum: — falsa, temeraria, Christi et Sanctorum meritis iniuriosa, dudum in art. 17 Lutheri damnata »: D.-S. 2641. *Ibid.*, prop. 42: « Item in eo, quod superaddit, "luctuosius adhuc esse, quod chimaerea isthaec applicatio transferri volita sit in defunctos": — falsa, temeraria, piarum aurium offensiva, in Romanos Pontifices et in praxim et sensum universalis Ecclesiae iniuriosa, inducens in errorem haereticali nota in Petro de Osma confixum, iterum damnatum in art. 22 Lutheri »: D.-S. 2642.

PIUS XI, Indictio Anni Sancti extra ordinem *Quod nuper*: « ... plenissimam totius poenae, quam pro peccatis luere debent, indulgentiam misericorditer in Domino concedimus atque impertimus, obtenta prius ab iisdem admissorum cuiusque suorum remissione ac venia »: *A.A.S.*, 25 (1933) p. 8.

PIUS XII, Indictio universalis Iubilaei *Iubilaeum maximum*: « Hoc igitur piacularis anni decursu, omnibus ... christifidelibus, qui rite per Paenitentiae Sacramentum expiati et sacra Synaxi refecti, ... Basilicas ... pie inviserint, atque ... preces ... recitaverint, plenissimam totius poenae, quam pro peccatis luere debent, indulgentiam ac veniam misericorditer in Domino concedimus atque impertimus »: *A.A.S.*, 41 (1949), pp. 258-259.

vabatur,[41] tum quia propter « pravos quaestus » indulgentiarum nomen blasphemabatur.[42] Ecclesia vero, abusus emendans atque corrigens, « indulgentiarum usum, christiano populo maxime salutarem, et sacrorum Conciliorum auctoritate probatum, in Ecclesia retinendum esse docet et praecipit, eosque anathemate damnat, qui aut inutiles esse asserunt, vel eas concedendi in Ecclesia potestatem esse negant ».[43]

9. Ecclesia autem etiam hodie omnes suos filios invitat, ut ponderent atque considerent, quantum valeat usus indulgentiarum ad vitam singulorum, immo etiam totius societatis christianae fovendam.

Ut breviter praecipua commemoremus, primum quidem salutaris hic usus docet : « malum et amarum est reliquisse ... Dominum Deum ».[44] Fideles enim, cum indulgentias assequuntur, intellegunt se non posse propriis viribus expiare malum, quod peccando sibi ipsis immo toti communitati intulerunt, et ideo ad humilitatem salutarem excitantur.

Usus deinde indulgentiarum docet, quam intima unione in Christo inter nos coniungamur, et quantum conferre possit vita supernaturalis uniuscuiusque ad alios, ut et ipsi cum Patre facilius et artius possint uniri. Indulgentiarum itaque usus efficaciter ad caritatem inflammat,

[41] Cf. CONCILIUM LATERANENSE IV, cap. 62: D.-S. 819.
[42] Cf. CONCILIUM TRIDENTINUM, *Decretum de indulgentiis*: D.-S. 1835.
[43] Cf. *ibid.*
[44] *Ier.* 2, 19.

eamque eximio modo exercet, cum fratribus in Christo dormientibus adiutorium praebetur.

10. Item indulgentiarum cultus ad fiduciam et spem plenae reconciliationis cum Deo Patre erigit; quod tamen ita operatur, ut nullius neglegentiae ansam det, studiumque dispositionum ad plenam communionem cum Deo requisitarum nullo modo remittat. Indulgentiae enim, licet gratuita sint beneficia, tamen tum pro vivis tum pro defunctis tantum certis condicionibus impletis conceduntur, cum ad eas assequendas requiratur, hinc ut opera bona praescripta absoluta sint, illinc ut fidelis debitis dispositionibus praeditus sit : scilicet, ut Deum diligat, peccata detestetur, in meritis Christi Domini fiduciam habeat et communionem Sanctorum magnae utilitati sibi esse firmiter credat.

Neque omittendum est indulgentias acquirendo fideles dociliter se submittere legitimis Pastoribus Ecclesiae et praesertim successori Beati Petri, Caeli clavigeri, quippe quos ipse Salvator mandaverit, ut pascerent et regerent Ecclesiam suam.

Institutio itaque salutaris indulgentiarum suo modo confert, ut Christo exhibeatur Ecclesia non habens maculam aut rugam, sed sancta et immaculata,[45] supernaturali caritatis vinculo in Christo mirabiliter coniuncta. Cum enim ope indulgentiarum membra Ecclesiae purgantis ad Ecclesiam caelestem citius aggregentur, per easdem indulgentias regnum Christi magis magisque

---

[45] Cf. *Eph.* 5, 27.

atque celerius instauratur, « donec occurramus omnes in unitatem fidei et agnitionis Filii Dei in virum perfectum, in mensuram aetatis plenitudinis Christi ».[46]

11. His igitur veritatibus innixa, sancta Mater Ecclesia, dum denuo commendat fidelibus suis indulgentiarum usum, ut populo christiano plurium saeculorum cursu et temporibus etiam nostris gratissimum, sicut experiendo probatur, nihil omnino detrahere intendit de aliis sanctificationis et purgationis rationibus, imprimis de sanctissimo Missae sacrificio et sacramentis, praesertim paenitentiae sacramento, deinde de copiosis auxiliis, quae uno nomine sacramentalia vocantur, ac demum de pietatis, paenitentiae et caritatis operibus. His omnibus subsidiis hoc commune est quod sanctificationem et purificationem eo validius operantur quanto artius aliquis Christo capiti et Ecclesiae corpori per caritatem coniungitur. Praestantia caritatis in vita christiana etiam indulgentiis confirmatur. Nam indulgentiae acquiri nequeunt sine sincera *metanoia* et coniunctione cum Deo, quibus additur operum praescriptorum impletio. Servatur ergo ordo caritatis, in quem inseritur poenarum remissio ex dispensatione thesauri Ecclesiae.

Suos fideles cohortans ne deserant neu parvipendant sanctas traditiones patrum, sed religiose eas accipiant, tamquam pretiosum catholicae familiae thesaurum, iisque obsequantur, Ecclesia tamen sinit unumquemque, in sancta et iusta

[46] *Eph.* 4, 13.

libertate filiorum Dei, huiusmodi purificationis et sanctificationis subsidiis uti; in eorum mentem autem continenter revocat ea quae ad salutem assequendam sunt praeponenda, utpote necessaria vel meliora et efficaciora.[47]

Ut autem ipse indulgentiarum usus ad maiorem dignitatem et aestimationem provehatur, aliquid innovandum sancta Mater Ecclesia opportunum duxit in earum disciplina, novasque normas tradendas decrevit.

V

12. Normae quae sequuntur variationes opportunas in disciplinam de indulgentiis inducunt, votis quoque Coetuum Episcopalium receptis.

Ordinationes Codicis Iuris Canonici et Decretorum Sanctae Sedis de indulgentiis, quatenus cum novis normis congruunt, integrae manent.

In normis apparandis haec tria praesertim spectata sunt: ut nova mensura statueretur pro indulgentia partiali, congrua deminutio in indulgentias plenarias induceretur, et quae ad indulgentias reales et locales, quas dicunt, pertinent in simpliciorem et digniorem formam redigerentur et componerentur. Ad indulgentiam partialem quod attinet, antiqua dierum et anno-

---

[47] Cf. THOMAS, *In 4 Sent*. dist. 20, q. 1, a. 3, q. 1a 2, ad 2 (*S. Th. Suppl.* q. 25, a. 2, ad 2): «... quamvis huiusmodi indulgentiae multum valeant ad remissionem poenae, tamen alia opera satisfactionis sunt magis meritoria respectu praemii essentialis; quod in infinitum melius est quam dimissio poenae temporalis».

rum determinatione posthabita, nova norma seu mensura exquisita est, iuxta quam actio ipsa consideratur christifidelis, qui opus indulgentia ditatum perficit.

Cum vero sua actione christifidelis — praeter meritum quod actionis est fructus praecipuus — consequi insuper possit poenae temporalis remissionem, et quidem eo maiorem quo maior est operantis caritas et operis praestantia, placuit hanc ipsam remissionem poenae, quam christifidelis sua actione acquirit, tamquam mensuram sumere remissionis poenae, quam Ecclesiastica Auctoritas per indulgentiam partialem liberaliter addit.

Ad indulgentiam plenariam quod attinet, opportunum visum est earum numerum congruenter minuere, ut christifideles indulgentiae plenariae aequam aestimationem faciant et eam, debitis ornati dispositionibus, acquirere valeant. Quod enim saepius occurrit, parum attenditur; quod copiosius offertur, parvi aestimatur; cum plerique christifideles congruo temporis spatio indigeant, ut ad plenariam indulgentiam assequendam apte se praeparent.

Quod attinet ad indulgentias reales et locales, non tantum earum numerus valde deminutus est, sed ipsum nomen sublatum est, quo clarius constet indulgentiis ditari christifidelium actiones, non vero res vel loca, quae sunt tantum occasiones indulgentias acquirendi. Immo piarum Consociationum asseclae indulgentias illis propriam assequi possunt, praescripta opera adimplendo, neque insignium usus requiritur.

NORMAE

N. 1. Indulgentia est remissio coram Deo poenae temporalis pro peccatis, ad culpam quod attinet, iam deletis, quam christifidelis, apte dispositus et certis ac definitis condicionibus, consequitur ope Ecclesiae quae, ut ministra redemptionis, thesaurum satisfactionum Christi et Sanctorum auctoritative dispensat et applicat.

N. 2. Indulgentia est partialis vel plenaria prout a poena temporali pro peccatis debita liberat ex parte aut ex toto.

N. 3. Indulgentiae sive partiales sive plenariae possunt semper defunctis applicari per modum suffragii.

N. 4. Indulgentia partialis, in posterum, his tantum verbis « indulgentia partialis » significabitur, nulla addita dierum vel annorum determinatione.

N. 5. Christifideli qui, corde saltem contritus, peragit opus indulgentia partiali ditatum, tribuitur ope Ecclesiae tantadem poenae temporalis remissio, quantam ipse sua actione iam percipit.

N. 6. Indulgentia plenaria semel tantum in die acquiri potest, salvo praescripto N. 18 pro constitutis « in articulo mortis ».
Partialis vero indulgentia pluries in die acquiri potest, nisi aliud expresse notetur.

N. 7. Ad indulgentiam plenariam assequendam requiruntur exsecutio operis indulgentia ditati et impletio trium condicionum, quae sunt : sacramentalis confessio, communio eucharistica et oratio ad mentem Summi Pontificis. Requiritur insuper ut excludatur omnis affectus erga quodcumque peccatum etiam veniale.

Si plena huiusmodi dispositio desit vel praedictae condiciones, salvo praescripto N. 11 pro « impeditis », non impleantur, indulgentia erit tantum partialis.

N. 8. Tres condiciones perfici possunt pluribus diebus ante vel post praescripti operis exsecutionem; convenit tamen ut communio et oratio ad mentem Summi Pontificis peragantur ipso die quo instituitur opus.

N. 9. Unica sacramentali confessione plures indulgentiae plenariae acquiri possunt; unica vero communione eucharistica et unica oratione ad mentem Summi Pontificis una tantum indulgentia plenaria acquiritur.

N. 10. Condicio precandi ad mentem Summi Pontificis plene impletur, si recitantur ad Eiusdem mentem semel *Pater* et *Ave*; data tamen facultate singulis fidelibus quamlibet aliam orationem recitandi iuxta uniuscuiusque pietatem et devotionem erga Romanum Pontificem.

N. 11. Firma facultate confessariis can. 935 C.I.C. facta commutandi pro « impeditis » sive opus praescriptum sive condiciones, Ordinarii locorum possunt concedere fidelibus, in quos ad normam iuris exercent auctoritatem, si loca inhabitent ubi nullo modo vel saltem admodum difficile ad confessionem vel ad communionem accedere possint, ut ipsi queant indulgentiam plenariam consequi absque actuali confessione et communione, dummodo sint corde contriti et ad praedicta sacramenta, cum primum poterunt, accedere proponant.

N. 12. Divisio indulgentiarum in personales, reales et locales, non amplius adhibetur, quo clarius constet indulgentiis ditari christifidelium actiones, quamvis cum re vel loco interdum coniungantur.

N. 13. Enchiridion indulgentiarum recognoscetur eo consilio ut tantum praecipuae preces et praecipua opera pietatis, caritatis et paenitentiae indulgentiis ditentur.

N. 14. Elenchi et summaria indulgentiarum Ordinum, Congregationum religiosarum, Societatum in communi viventium sine votis, Institutorum saecularium, necnon piarum fidelium Consociationum, quamprimum recognoscentur, ita ut indulgentia plenaria acquiri possit peculiaribus tantum diebus a Sancta Sede statuendis, proponente supremo Moderatore vel, si agatur de piis Consociationibus, Ordinario loci.

N. 15. In omnibus ecclesiis, oratoriis publicis vel — ab illis qui legitime iis utuntur — semipublicis acquiri potest indulgentia plenaria, quae defunctis tantum applicari potest, die 2 Novembris.

In ecclesiis vero paroecialibus acquiri insuper potest indulgentia plenaria bis in anno: die festo Titularis, et die 2 Augusti, quo « Portiunculae » indulgentia occurrit, vel alio opportuniore die ab Ordinario statuendo.

Omnes praedictae indulgentiae acquiri poterunt vel diebus supra definitis vel, de consensu Ordinarii, die Dominico antecedenti aut subsequenti.

Ceterae indulgentiae ecclesiis vel oratoriis adiunctae quamprimum recognoscentur.

N. 16. Opus praescriptum ad acquirendam indulgentiam plenariam ecclesiae vel oratorio adiunctam est eiusdem pia visitatio, in qua recitantur oratio Dominica et fidei symbolum (*Pater* et *Credo*).

N. 17. Christifidelis qui *pietatis obiecto* (crucifixo, cruce, corona, scapulari, numismate), a quovis sacerdote rite benedicto, pia utitur mente, consequitur indulgentiam partialem.

Si autem *pietatis obiectum* a Summo Pontifice aut a quolibet Episcopo fuerit benedictum, christifidelis, eodem obiecto pia utens mente, assequi potest etiam indulgentiam plenariam die festo SS. Apostolorum Petri et Pauli, addita tamen, qualibet legitima formula, fidei professione.

N. 18. Pia Mater Ecclesia, si haberi nequit sacerdos qui christifideli in vitae discrimen adducto sacramenta et benedictionem apostolicam cum adiuncta indulgentia plenaria, de qua in can. 468, § 2 C.I.C., administret, benigne eidem, rite disposito, concedit indulgentiam plenariam in articulo mortis acquirendam, dummodo ipse durante vita habitualiter aliquas preces fuderit. Ad hanc indulgentiam plenariam acquirendam laudabiliter adhibetur crucifixus vel crux.

Eandem indulgentiam plenariam in articulo mortis christifidelis consequi poterit, etiamsi eodem die aliam indulgentiam plenariam iam acquisiverit.

N. 19. Normae de indulgentiis plenariis editae, praesertim ea quae in N. 6 recensetur, applicantur etiam indulgentiis plenariis, quae « toties quoties » usque adhuc appellari consueverunt.

N. 20. Pia Mater Ecclesia, de fidelibus defunctis quam maxime sollicita, quolibet privilegio hac de re abrogato, iisdem defunctis amplissime suffragari constituit quovis Missae sacrificio.

* * *

Novae normae, quibus innititur indulgentiarum acquisitio, vigere incipient expletis tribus mensibus a die quo haec Constitutio in *Actis Apostolicae Sedis* edetur.

Indulgentiae *pietatis obiectorum* usui adiunctae, quae supra non recensentur, cessant expletis tribus mensibus a die quo haec Constitutio in *Actis Apostolicae Sedis* edetur.

Recognitiones, de quibus in N. 14 et N. 15, proponi debent Sacrae Paenitentiariae Apostolicae intra annum; expleto vero biennio a die huius Constitutionis, indulgentiae, quae confirmatae non fuerint, omnem vim amittent.

Nostra haec statuta et praescripta nunc et in posterum firma et efficacia esse et fore volumus, non obstantibus, quatenus opus sit, Constitutionibus et Ordinationibus Apostolicis a Nostris Decessoribus editis ceterisque praescriptionibus etiam peculiari mentione et derogatione dignis.

Datum Romae, apud S. Petrum, die I mensis Ianuarii, in Octava Nativitatis D.N.I.C., anno MCMLXVII, Pontificatus Nostri quarto.

PAULUS PP. VI

Index

TYPIS POLYGLOTTIS VATICANIS